Steve BIDDULPH
avec la collaboration de Shaaron BIDDULPH

LE SECRET DES ENFANTS HEUREUX

TOME 2

•MARABOUT•

© Steve and Shaaron Biddulph 1994, 1998.
Ce livre a été publié pour la première fois par Bay Books, Sydney, Australie, en 1994, avec l'autorisation de HarperCollins Publishers, sous le titre « *More secrets of happy children* ».
© **Marabout** / Hachette-Livre, 2003, pour la traduction française.
Traduction : Dominique Darbois-Clous, avec la collaboration de Françoise Dupont.

SOMMAIRE

REMERCIEMENTS

Philippa Sandall et Carolyn Walsh ont collaboré, les premières, à la naissance de cet ouvrage. Robin Freeman, directeur remarquable et indulgent, a contribué à améliorer cette nouvelle édition. Je remercie aussi Carolyn Leslie, pour sa patience ; et Lore Foye, pour son travail sur la maquette.

J'ai une immense dette envers Shaaron Biddulph, pour son savoir-faire auprès des enfants, mais aussi pour avoir su tempérer la tonalité masculine de mon écriture. C'est Shaaron qui a conçu les chapitres sur les dangers des modes de garde et sur « notre foyer, zone de non-châtiment corporel ». C'est elle qui a mis au point, et enseigné à des centaines de parents, l'emploi de la « réflexion à l'écart », avec les jeunes enfants, et de la négociation. Notre fils et notre fille ont appris en même temps que nous. Et, comme toutes les familles, nous avons été aidés par des centaines de gens.

Nous tenons à remercier les nombreuses personnes et institutions qui nous ont autorisés à utiliser des extraits de leurs publications : le magazine *ITA* pour les remarques de Kirsti Cockburn ; Boxtree Limited pour *La mère est-elle vraiment indispensable ?* de Bob Mullen ; Rosie Lever, pour *Such Sweet Sorrow*[1] ; Christopher Green, pour

---

[1] *Une peine si douce.*

Toddler Taming[1] ; le magazine *Readers' Digest* pour l'article de Karl Zinmeister, *Dures vérités sur les modes de garde* ; l'Australian Institute of Family Studies, et notamment Gay Ochiltree, pour son ouvrage *Children in Australian Families* ; le *Melbourne Age* et Mary Burbridge pour la reprise intégrale de l'article *Ma fille, mon éternel bébé* ; le *Melbourne Age* encore, pour son éditorial sur le salaire parental ; le *Mercury* de Hobart pour la citation de Benjamin Spock et l'étude sur les mères qui travaillent ; et le personnel de la bibliothèque de l'Institute for Early Childhood Development de Kew, Melbourne, qui nous a assistés dans nos recherches.

[1] *Le tout-petit apprivoisé.*

INTRODUCTION

Cher lecteur,

J'ai écrit mon premier livre sur le métier de parent il y a quatorze ans. Durant toutes ces années, l'accueil fait au *Secret des enfants heureux* a fortement influencé ma vie. Chaque fois que Shaaron et moi voyageons quelque part dans le monde, nous avons l'impression d'y rencontrer des amis qui nous connaissent déjà. La confiance qu'ils nous portent nous rend à la fois fiers et anxieux. Ce qui nous mobilise, c'est le fait que les gens, partout, sont très ATTENTIFS à leurs enfants.

Être parent, c'est l'aventure totale. Parfois, cela vous donne plus de bonheur que n'importe quoi d'autre dans la vie, mais à d'autres moments, vous avez l'impression que votre cœur va se décrocher en chemin... Ne laissez jamais personne affirmer que c'est une chose simple.

On trouve aujourd'hui sur les rayonnages des librairies des dizaines d'ouvrages sur l'éducation des enfants. Ils ont sur moi un effet singulier : ils me rendent malade ! Si rationnels, si allègres ! Pleins de conseils enjoués et de longues listes bien ordonnées de ce qu'il faut faire. Votre enfant sûr de lui en quatre étapes ! De qui se moque-t-on ? Je préfère la vraie vie.

D'un autre côté, il faut bien faire quelque chose : de nombreux parents cherchent désespérément des réponses. Quelle est alors la place de ce second livre ? Il creuse la question plus à fond que le premier ; il est aussi plus précis, parce qu'il s'appuie sur nos travaux auprès de milliers de parents qui nous ont dit ce qui « marchait ». Les concepts d'amour-tendresse et d'amour-fermeté, que vous allez découvrir, sont des outils puissants, qui peuvent bouleverser le cours d'une vie de famille. Ils répondent au véritable objet du métier de parent : produire de jeunes adultes chaleureux, énergiques et solides.

Les mères et les pères qui entament la lecture de ce livre vont devoir faire face à deux grands défis :
- renoncer aux méthodes éducatives basées sur la crainte et la violence ;
- élever vraiment leurs propres enfants, sans en laisser le soin à d'autres personnes.

Bien sûr, en élevant vos enfants vous allez être amené à explorer votre propre personnalité. Cela en vaut certainement la peine. Ce livre ne vous fournira pas de réponses toutes faites. Mais en revanche, quelques idées-forces pour vous aider à élaborer votre propre « méthode idéale ».

Bien affectueusement, de notre famille à la vôtre,

STEVE BIDDULPH

P.-S. Les wombats[1] ont grandi, ils ont quitté la maison !

---

[1] Mammifère australien (dans son premier ouvrage, S. Biddulph comparait ses enfants petits à ces animaux tout en rondeurs…).

Les spécialistes peuvent nuire à la santé de votre famille.
Par chance, cet ouvrage est un livre de non-spécialiste !
Prenez-le simplement pour ce qu'il est :
une série de suggestions amicales,
de quoi alimenter votre propre bon sens.

Vous seul
savez ce qui est bon
pour vous et vos enfants.

1

FABRIQUER LES HOMMES
DE DEMAIN

Imaginez. Vous êtes assis sur le pas de votre porte. Devant vous s'étendent des jardins, une rue ombragée. Aucun bruit, à part le chant des oiseaux. Vous êtes vieux, mais toujours en forme, bronzé ; vous portez des vêtements souples et confortables.

Une voiture s'approche, presque sans bruit. Les portières s'ouvrent ; de jeunes adultes en descendent. Ce sont vos enfants !

Ils vous serrent contre eux. Débordant d'énergie, ils sont heureux de vous voir. Ils s'assoient et vous racontent leurs dernières aventures, leurs réalisations récentes, vous donnent des nouvelles de leur famille. Vous sortez de quoi boire et manger et discutez de plein de choses. Puis arrive l'heure de leur départ.

Vous rentrez et enfilez un pull-over.

Alors, vous restez un long moment assis près de la fenêtre, vous rappelant le temps où ils étaient enfants. Vous êtes très fier de ce qu'ils sont devenus, de ce que vous avez donné au monde.

Un enfant est un cadeau

À écouter les médias, l'enfant n'est qu'un énorme problème : problème de comportement, problème de garde, problème de santé.

Quelle magistrale escroquerie ! Parce que la vérité, la voici : l'enfant est un beau cadeau. Au fond de nous, nous le savons bien, mais nous l'oublions parfois. Les couples (un sur cinq) qui ont des problèmes de stérilité savent qu'un enfant est un cadeau. Tout comme les parents dont l'enfant lutte contre la maladie ou le handicap. Quand notre enfant est en danger, nous nous rendons compte de son importance, et du peu de prix de tout le reste.

Oui, l'éducation d'un enfant est un cortège de vrais défis. Nous en passerons beaucoup en revue dans ce livre. Mais commencez donc par vous rappeler à quel point c'est formidable d'avoir ce but dans la vie : former une nouvelle existence, lancer vers l'avenir un merveilleux être humain. Vous allez donner et recevoir. Votre vie va s'enrichir de l'amour et de l'adoration que vous donneront les petits, eux qui abordent chaque chose avec fraîcheur, intensité et confiance.

Aujourd'hui, nous élevons les enfants du vingt et unième siècle et, en fait, nous ne nous en sortons pas si mal : nous créons un type de jeune adulte qui se trouve à des années-lumière de ceux d'il y a trente ans (faites la comparaison entre ce que vous étiez à quinze ans et les « quinze ans » d'aujourd'hui !).

Élever les enfants est un métier très ancien. Pour bien le faire, vous devez faire appel à vos ressources intérieures et vous appuyer aussi sur de nombreux supports extérieurs. Choisissez une attitude du type « on s'adapte au fur et à mesure », soyez prêt à commettre des erreurs et à en tirer des enseignements, sans vous tracasser plus que nécessaire.

Cette volonté d'apprendre est très probablement ce qui vous a fait choisir ce livre.

Vous aimez vos enfants, vous voulez faire de votre mieux et vous désirez apprendre. Vous possédez toutes les qualités pour faire un très bon parent !

DEUX SORTES D'AMOUR

Nous aimons nos enfants. Mais l'amour est plus qu'un sentiment affectueux : il suppose un certain savoir-faire. Les thérapeutes spécialistes de la famille sont d'accord pour dire que les parents doivent posséder deux qualités fondamentales. Je les appellerai l'*amour-tendresse* et l'*amour-fermeté*. Ces deux types d'amour doivent être « diffusés » par le parent en quantité suffisante pour que l'enfant puisse recevoir les « ingrédients » nécessaires à son plein épanouissement. Tous deux sont disponibles en vous, mais il se peut que vous ayez besoin d'un coup de main pour les ranimer.

Qu'est-ce que l'amour-tendresse ?

L'amour-tendresse est la capacité à se détendre, à être chaleureux et affectueux. C'est ce qui empêche votre cerveau de partir dans tous les sens, ce qui vous commande de faire confiance à votre instinct et d'évacuer les nombreuses pressions extérieures afin d'être vraiment *présent* pour votre enfant. Quand vous pouvez vous détendre et être vraiment vous-même, votre capacité à aimer fait naturellement surface.

Vous n'avez pas à forcer l'amour-tendresse ; en revanche, il faut absolument lui donner de l'espace pour qu'il se développe. De même, tout le monde n'a pas été élevé dans l'amour-tendresse ; c'est pourquoi certains ont parfois du mal à l'activer. Si vos parents étaient plutôt distants ou en retrait, il se peut que vous vous sentiez stressé ou mal à l'aise plutôt que détendu et aimant en présence de bébés ou de tout-petits. La redécouverte de l'amour-tendresse ouvre la porte à bien des améliorations. Le chapitre 2 vous dira comment y parvenir.

Qu'est-ce que l'amour-fermeté ?

L'amour-fermeté est la capacité à être gentil, mais ferme, avec les enfants : à établir des règles claires et à les assumer, sans se fâcher, sans se montrer faible ni céder. C'est de cette qualité dont on parle quand on dit : « C'est quelqu'un de solide. »

Beaucoup de personnes entretiennent une certaine confusion en matière d'affection parce qu'elles pensent qu'il s'agit d'un sentiment chaleureux, mais « tendance guimauve ». Un exemple : un père prête régulièrement d'importantes sommes d'argent à sa fille adolescente qui « oublie » de les lui rendre. Ce n'est pas de l'amour, c'est de la faiblesse. L'amour-fermeté suppose qu'il lui dise : « Bien sûr que je t'aime. Et tu me dois 100 euros. Alors, pas d'avance tant que tu ne m'as pas remboursé ! »

L'amour-fermeté est une force portée par une intention d'amour, à l'opposé d'une attitude qui serait froide et dure. Avec les jeunes enfants, parce qu'ils les aiment, les bons parents font fréquemment preuve de fermeté, souvent pour *leur sécurité* : « Je t'aime, c'est justement pour ça que je ne te laisse pas courir dans la rue » ; ou pour *le respect des autres* : « Dans cette maison, on ne se frappe pas les uns les autres. »

Les bons parents sont prêts à se montrer très fermes avec leurs enfants, parce qu'ils savent que cela les aidera à avoir une vie plus heureuse.

Trouver le juste équilibre

Personne ne réussit à tous les coups. Donner à ses enfants de l'amour-tendresse et de l'amour-fermeté relève toujours du tâtonnement : on trouve le bon dosage au fur et à mesure que l'on avance. Un parent aimant et ferme dit des choses du genre : « Non, tu ne sors pas par ce temps. Et si tu trouvais plutôt quelque chose d'intéressant à faire dans la cuisine ? » Il est conscient du besoin d'activité de son enfant : « Je vois bien que tu t'ennuies. Je vais t'aider à trouver quelque chose à faire. » Mais sa décision reste nette : « Tu dois rester à la maison quand il pleut. »

Les problèmes ?
Ils aident à trouver le bon équilibre

Les prétendus « problèmes » qui surviennent de temps à autre dans toutes les familles sont tout simplement la façon qu'ont les enfants de nous signaler que l'on n'a pas atteint l'équilibre. Ainsi, une petite fille aura mal au ventre parce Maman et Papa se sont un peu trop occupés du nouveau bébé. Un garçon aura des difficultés à l'école pour que son père fasse un peu plus attention à lui.

Pour aider votre enfant, il vous sera parfois nécessaire d'atteindre des degrés nouveaux d'amour-tendresse ou d'amour-fermeté, souvent bien plus qu'on ne vous en a donné quand vous étiez enfant. C'est pourquoi le « parentage » est une vraie période de développement, qui nous emmène bien au-delà de nos limites. Pour que cela se passe bien, vous aurez besoin de soutien et d'encouragements. Les chapitres suivants vous en donneront beaucoup, ainsi que de nombreux exemples tirés de la vie quotidienne dont vous pourrez vous inspirer.

Identifiez votre façon d'aimer

Beaucoup de parents m'ont demandé de leur fournir un moyen simple de faire le point sur leur propre méthode et de progresser. Ce questionnaire peut vous aider à comprendre les deux manières d'aimer et à faire du métier de parent une expérience positive. Encerclez le chiffre qui correspond le plus à votre réponse.

Questions sur l'amour-tendresse

Je fais beaucoup de câlins à mes enfants. J'adore les prendre contre moi et leur dire combien ils sont épatants.

(pas du tout)   0 / 2 3 4 5   *(très souvent)*

Je suis plutôt quelqu'un de paisible. Je ne me presse pas. Je peux passer des heures avec mes enfants, juste pour le plaisir d'être avec eux.

(pas du tout)   0 / 2 3 4 5   *(très souvent)*

Additionnez les deux résultats et notez ci-dessous votre score d'amour-tendresse.

Total amour-tendresse _____

Questions sur l'amour-fermeté

Je sais me montrer clair(e) et ferme, poser des règles et amener mes enfants à les respecter. Mes enfants savent quand je parle sérieusement et obéissent presque toujours.

(pas du tout)   0 / 2 3 4 5   *(très souvent)*

Je suis calme et d'humeur égale ; par conséquent, quand je me montre ferme, je me mets rarement en colère. Je ne lève jamais la main sur mes enfants, et ne leur dis jamais de paroles blessantes.

(pas du tout)   0 / 2 3 4 5   *(très souvent)*

Additionnez les deux résultats et notez ci-dessous votre score d'amour-fermeté.

Total amour-fermeté _____

Inscrivez votre résultat sur le graphique suivant.

1. Faites une croix sur la ligne A correspondant à votre score d'amour-fermeté.
2. Faites une croix sur la ligne B correspondant à votre score d'amour-tendresse.
3. Tracez une ligne horizontale passant par votre score d'amour-fermeté et une verticale passant par votre score d'amour-tendresse. Notez leur point d'intersection : c'est l'indicateur de votre façon d'aimer.
4. Référez-vous à la page suivante pour l'explication du résultat.

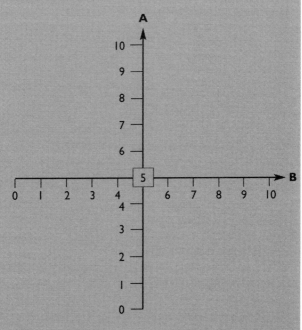

Lecture des résultats

Vous vous retrouvez dans une des quatre zones représentées ici par quatre personnes : Roger, Patricia, Agnès et Charlotte.

L'auteur prie tous les Roger, Patricia, Agnès et Charlotte de l'excuser : toute ressemblance avec des personnes existantes, décédées ou autres ne serait que pure coïncidence !

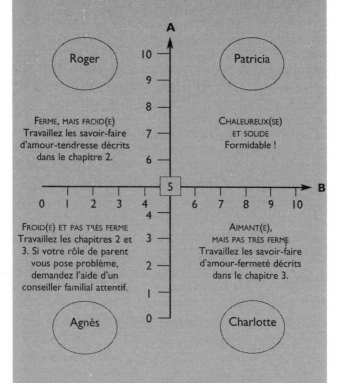

Roger est une personne du genre solide, sérieux et bien organisé. Sans doute, tout au fond de lui, tient-il beaucoup à ses enfants, mais il a du mal à le montrer. Il reste donc distant, en retrait, et ses enfants peuvent avoir l'impression de ne jamais être vraiment à la hauteur. Il est souvent trop occupé pour passer du temps avec eux, mais il a récemment commencé à modifier son attitude.

Patricia est chaleureuse et très aimante. Elle est aussi très claire en matière d'obéissance pour les choses importantes. Ses enfants savent qu'ils doivent suivre certaines lignes directrices et prendre des responsabilités. Mais ils se sentent aussi en sécurité et aimés. Chacun dans la famille a son content de bons moments, de câlins et de rires.

Agnès est très tendue et distante. Elle peut laisser ses enfants faire n'importe quoi sans réagir, puis perdre tout contrôle sur elle-même et les brutaliser. Ensuite elle le regrette et redevient permissive. Avec l'aide d'amis et d'un conseiller familial, elle apprend à se détendre et à s'aimer elle-même afin de pouvoir aimer ses enfants.

Charlotte adore ses enfants et passe beaucoup de temps avec eux. Elle n'a pas de temps pour elle-même. Les enfants font ce qu'ils veulent et sont très difficiles. Charlotte est très fatiguée de fournir autant d'efforts sans pour autant obtenir plus de résultats. Elle a récemment rejoint un groupe de soutien parental où elle glane des conseils sur l'amour-fermeté.

2

L'AMOUR-TENDRESSE

Entrez en contact avec votre enfant

Tous les parents aiment leur enfant.
La question est : « Est-ce qu'il s'en rend compte ? »

C'est le soir. Autour du lac, la nature est silencieuse. On entend juste l'appel isolé d'un oiseau dans le lointain. Dans une maisonnette, au bord de l'eau, un homme et une femme sont en train de faire l'amour. Ils commencent doucement, prennent leur temps, laissent monter le désir et s'éloigner progressivement les tensions et les soucis. Ils réapprennent à se connaître, même s'ils sont partenaires depuis des années. Peu à peu, l'énergie et la passion s'emballent, le rire de la femme se mêle à l'ardeur de l'homme ; bientôt, ensemble, ils crient leur plaisir. Après vient la détente, l'endormissement des corps chauds blottis l'un contre l'autre. Plus tard, au creux du corps de la femme, un spermatozoïde parvient jusqu'à l'ovule qui attend, comme une petite lune. La vie d'un enfant commence.

Aimer la vie qui est en soi

Comment êtes-vous devenue mère ? En étant enceinte, bien sûr. Mais le vouliez-vous ? Qui peut savoir ? Votre corps, lui, le voulait sûrement. En revanche, pour l'esprit, découvrir qu'on est enceinte peut être un choc. Sans parler des « accidents », même les grossesses les plus programmées génèrent ce sentiment. Les yeux sur le test de grossesse, vous vous dites : « Hou là là ! » La folle aventure a commencé.

Être enceinte, c'est faire un choix. On peut soit se tendre avec amour vers cette vie nouvelle à l'intérieur de soi, soit se reculer, avec crainte et méfiance. Tandis que l'enfant grandit dans votre sein, les occasions se multiplient de durcir votre cœur en vous mettant en retrait, ou de fondre et développer ce sentiment qu'on appelle amour-tendresse.

L'amour-tendresse, cette aptitude à la générosité et à la chaleur, réside à l'intérieur de chaque individu.

L'amour-tendresse qui vit en vous peut être puissant comme une flamme ardente, ou n'être pas reconnu, minuscule braise luisante en attente d'être ravivée. Chaque nouvelle mère, chaque nouveau père porte en lui cette étincelle. Les scientifiques ont découvert que si le père est présent à la naissance ou s'il est associé aux premiers soins du tout-petit, alors il se préoccupe véritablement de l'enfant ; profondément concerné, il éprouve une intense satisfaction. Il désire passer plus de temps auprès du nourrisson et acquérir tous les savoir-faire nécessaires aux soins du bébé. Ceci est vrai que le petit soit ou non son enfant biologique. La clé, c'est d'être présent dès le début.

Si on permet à la mère de dormir à côté de son bébé dès les premiers instants, si on l'aide notamment à l'allaiter, son corps produit des hormones puissantes, les prolactines, qui lui donnent véritablement l'envie de materner. Ces hormones la détendent, la ralentissent et lui procurent une satisfaction profonde lorsqu'elle se trouve avec son petit. Elles mettent son corps en alerte, le rendent attentif à protéger le bébé. Lorsqu'on se sent « bêtement » attiré par un petit objet doux ou en peluche, c'est la prolactine qui est à l'œuvre.

> *Chaque jour, de nouvelles données confirment que l'allaitement maternel procure des nutriments et des anticorps qui le rendent infiniment préférable au lait artificiel. Parfois, la mère est obligée de recourir au biberon pour des raisons médicales ; dans ce cas, il est important qu'elle mette son bébé en contact avec sa peau nue quand elle le lui donne. Il est bon qu'elle se détende et échange des regards avec le tout-petit, qu'elle fasse de la pause-biberon une bulle d'intimité. Nous pensons que donner le sein est tout un art. Parfois, les mères ont besoin d'être aidées pour le faire efficacement ; il existe quelques « trucs » simples, qui font toute la différence. Nous vous recommandons de contacter les associations d'aide à l'allaitement[1] ; elles peuvent vous être d'un grand secours.*

Ainsi ces sentiments d'amour sont-ils programmés en nous, en attente d'être ranimés. Parfois cela se fait facilement, en harmonie. Parfois, il faut se faire aider.

ENFANT, AVEZ-VOUS APPRIS À AIMER ?

Ne pas avoir reçu soi-même beaucoup d'amour dans son enfance, notamment lorsqu'on était bébé, peut empêcher l'amour de se développer. Peut-être n'avez-vous jamais « appris à aimer ». Il n'est pas trop tard.

---

[1] Regroupées sur le site de la Coordination Française pour l'Allaitement maternel, www.coordination-allaitement.org ; Leche League, tél. : 01 39 584 584 – Solidarilait France 01 40 44 70 70 (répondeurs).

La génération de nos parents tenait à ses enfants, mais elle ne le montrait pas toujours, ni ne le disait très souvent. Beaucoup des parents d'aujourd'hui n'ont pas été élevés avec affection. Durant les années 1950, « années glaciaires » où la médecine régnait en maître sur la naissance et la toute petite enfance, on considérait qu'être gentil avec un enfant c'était le gâter. On recommandait aux parents de laisser pleurer leur bébé. Ils avaient peur de le nourrir lorsque ce n'était pas l'heure, ou craignaient de le « rendre impossible » s'ils le câlinaient. Encore aujourd'hui, certains pédiatres conseillent de laisser le bébé épuiser ses larmes de détresse seul dans sa chambre. Quel désastre !

Dans un article du magazine *Mothering* (« *Maternage* »), Jean Liedloff dit que chaque être humain a besoin d'éprouver deux sentiments fondamentaux : sentir qu'il est *accueilli* et sentir qu'il a de la *valeur*. Dans les années 1950 et 1960, les parents maîtrisaient souvent très bien l'aspect mécanique du « parentage » : nourrir, vêtir, maintenir en bonne santé. C'était un bon début ! Mais ils avaient souvent du mal à se montrer chaleureux ou proches. À cette époque, faire honte et réprimander étaient les deux grands pôles de la stratégie éducative. L'enfant pouvait parfaitement grandir dans le sentiment de n'être ni le bienvenu, ni quelqu'un de valeur !

Quelqu'un nous a raconté qu'adolescent, il avait ressenti la nécessité de chercher la compagnie de personnes gentilles, plus âgées, simplement pour se nourrir du sentiment d'être accueilli : qu'on lui sourie, qu'on lui demande comment s'était passée sa journée. En faisant cela, il a peu à peu comblé les manques liés à cette absence d'accueil. Au bout d'un certain temps, il s'est rendu compte que les gens appréciaient sa compagnie, lui demandaient son opinion, lui racontaient leurs problèmes. Et cela lui a donné le sentiment de sa propre valeur. Plus tard, il est devenu psychologue !

Une vieille amie nous a raconté que lorsqu'elle était petite, elle se sentait très seule et pas du tout aimée. À minuit, une fois la maison endormie, elle allumait la radio. Le présentateur avait une voix basse et chaleureuse. Elle restait éveillée pour l'entendre souhaiter à tous : « Bonne nuit, que Dieu vous garde. » Alors, réconfortée à l'idée qu'on faisait attention à elle, elle s'endormait paisiblement.

Au « bon vieux temps » néanmoins, l'enfance avait quelques bons côtés. Les gens avaient en général beaucoup d'enfants et vivaient près de leurs proches ; les enfants plus grands, les nièces, les neveux, les tantes et les grands-mères : tous aidaient à s'occuper des bébés. On avait fréquemment l'occasion de s'entraîner au métier de parent avant de le devenir. Aujourd'hui, un quart des nouveaux parents n'ont jamais eu l'occasion de *tenir un bébé dans leurs bras* avant le jour où l'on y dépose le leur. Pas étonnant qu'ils paniquent !

Pour éviter qu'être parent se transforme en lutte harassante, vous devez trouver des gens pour vous aider ; ainsi, en recevant vous-même de l'affection, vous serez davantage capable d'aimer votre bébé. Cela commence très tôt. Les statistiques montrent que la présence d'une personne aimante à la naissance – quelqu'un qui aime la mère et s'occupe d'elle – réduit de manière significative le nombre de césariennes et de péridurales (et par conséquent le nombre de naissances au forceps). Une présence affective auprès de la mère a sur elle de réelles conséquences physiques.

L'amour est une substance réelle et tangible : les choses se passent mieux quand il y a de l'amour dans l'air. Après la naissance de votre bébé, la forme d'affection la plus efficace que l'on puisse vous donner est d'ordre pratique : des massages (pour vous), des repas spéciaux, du temps, de l'attention et tout ce qui ira dans le sens du respect de votre intimité. Toutes ces manifestations d'amour vous aideront à éveiller votre propre capacité à aimer.

En résumé, si votre enfance a été riche de sécurité et d'affection, les choses devraient bien se passer avec vos enfants. Mais même si cela n'a pas été le cas, vous pouvez toujours renverser le cours des choses, pour vous et vos enfants.

GUÉRIR LA MÈRE AIDE LE FILS

Élise, trente-huit ans, avait une relation difficile avec son fils adolescent. Il était très dépressif, potentiellement suicidaire. Nous avons parlé de leur façon de communiquer et il est apparu que dans presque toutes leurs conversations, elle en venait à le critiquer. Au fond d'elle-même, elle l'aimait, mais elle se comportait extérieurement de façon froide et rigide, tout en se sentant très malheureuse. Mise en confiance, elle m'a dit qu'elle n'embrassait pratiquement jamais son fils, ni ne le touchait de manière affectueuse. L'idée même de le toucher la mettait mal à l'aise.

La froideur affective de la part d'une mère est un signal d'alarme reconnu en matière de suicide d'adolescents, surtout si le père est, lui aussi, peu impliqué ou absent. Nous avons donc fait du contact physique notre premier objectif. Avec mes encouragements, Élise a commencé des tentatives d'approche. Elle a pris l'habitude de poser naturellement sa main sur l'épaule de son fils en le servant à table, à lui faire de petits compliments sur ses cheveux ou ses vêtements. Après une semaine ou deux, elle est montée d'un cran en le tenant brièvement contre elle avant qu'il ne parte à l'école.

Élise trouvait cela difficile, mais elle a persisté. Un jour, au cours d'une des séances de développement personnel auxquelles elle s'était inscrite, elle a entendu une personne du groupe raconter son enfance douloureuse. Soudain, elle s'est mise à trembler, à frissonner, puis elle a éclaté en sanglots. Elle venait soudain de se souvenir que lorsqu'elle avait à peu près quatre ans, son père l'avait agressée sexuellement (heureusement, sa mère avait quitté son père peu de temps après).

Bien sûr, Élise n'avait pas oublié ces événements, mais elle en avait minimisé l'importance pour elle-même. C'était la raison pour laquelle elle trouvait difficile de montrer son affection à son fils et de le toucher.

Peu à peu, en faisant part de son expérience au groupe, Élise a appris à laisser les autres faire attention à elle. Elle est rapidement devenue quelqu'un de plus sociable. Toutes ces qualités étaient latentes en elle, mais elles se cachaient sous la peur d'une petite fille de quatre ans dont la confiance avait été trahie. Finalement, aider son fils a contribué à l'aider elle-même.

LE POUVOIR DU CONTACT PHYSIQUE

En lisant l'histoire d'Élise et de son fils, avez-vous été surpris d'apprendre que le contact physique et l'affection pouvaient faire la différence entre un jeune qui veut vivre et un autre qui veut mourir ? Le contact physique a-t-il réellement une si grande importance ?

A priori, il ne semble pas que les adolescents se préoccupent tant de l'affection de leurs parents. Mais l'adolescent a été bébé. Et s'il n'a pas été câliné et caressé quand il l'était, alors l'affaire est grave.

Dépossédé d'affection, un petit bébé peut littéralement mourir de solitude. Quand on caresse un prématuré, il produit des hormones de croissance. C'est comme si le bébé décidait que la vie vaut la peine d'être vécue. Quand nous bénéficions d'un contact aimant, notre système immunitaire, réanimé, résiste bien plus facilement aux infections. Le taux d'hémoglobine (porteuse d'oxygène) dans le sang s'accroît de manière considérable.

Le toucher est une « vitamine de base » pour tous les mammifères. Quand un bébé naît prématurément, on le place souvent en couveuse pendant de nombreuses semaines. On a récemment découvert que si sa mère, ou une autre personne aimante, le câline régulièrement en caressant son petit corps dans la couveuse, il prend du poids plus rapidement qu'un autre qui serait privé de caresses. Il sort de l'hôpital des semaines plus tôt et fait réaliser ainsi une économie de plusieurs milliers d'euros.

Touchez comme vous voulez

Il y a de nombreuses façons de montrer son affection à un petit enfant : le masser, le caresser, le tapoter, le chatouiller, le câliner, le porter, le bercer, le *pouponner*, lui brosser les cheveux, lui tenir la main, le prendre sur ses épaules, le balancer, le faire sauter. Chacune exprime une version différente d'un même message : tu es aimé, tu es bienvenu, tu as de la valeur.

Parfois, plus grands, les enfants passent par une étape de rejet du contact physique, lorsqu'ils cherchent à conquérir une certaine indépendance. Mais une mère d'adolescents expérimentée nous a confié qu'il faut toujours « garder les bras ouverts », car vient le moment où ils veulent à nouveau être câlinés.

On peut souvent guérir les difficultés et les manques de la « mise en route » en apportant petit à petit l'affection nécessaire : l'enfant apprend à faire confiance. Avec suffisamment de temps et d'attention, un bébé placé ou adopté peut surmonter ses débuts difficiles. J'ai rencontré beaucoup d'adultes qui réussissaient à réparer les manques de leur toute petite enfance. Mais c'est tellement mieux de donner aux bébés un bon départ !

LE POUVOIR DES COMPLIMENTS

Plus les enfants grandissent, plus il y a de façons de leur montrer notre amour. La plus évidente est la parole. Nous façonnons leur personnalité en disant : « Comme tu es beau/jolie, on s'amuse bien avec toi, c'est un plaisir d'être avec toi. » Les enfants deviennent ce qu'on leur dit qu'ils sont.

L'enfant a besoin qu'on lui fasse des compliments de deux façons. La première est l'éloge *inconditionnel*, quand on lui dit : « Je t'aime parce que tu es toi. » Il n'a pas à mériter cet amour et il ne pourra jamais le perdre. Imaginez quel bien cela peut faire : être aimé inconditionnellement, juste parce qu'on existe.

La seconde est l'éloge *conditionnel*, quand on lui dit : « J'apprécie ce que tu fais. » On dira par exemple : « J'aime bien la façon dont tu t'es occupé de ta petite sœur pendant que j'étais au téléphone » ou « Ils sont très chouettes, tes dessins ! » ou « Tu chantes rudement bien », etc.

On peut tout à fait lui dire aussi ce qu'on n'apprécie *pas*, tant qu'on ne l'insulte pas. « Tu n'as pas vraiment rangé tes habits ; je vois encore huit tee-shirts et dix-sept chaussettes par terre » est correct. « Sale petit flemmard » passe moins bien.

Les parents doivent apprendre à *voir* les choses positives et à les mettre en avant. L'intensité de notre attention a une influence considérable sur nos enfants. Ken Mellor, l'un de nos enseignants, l'exprime ainsi : « Avec les enfants, on obtient ce sur quoi on met l'accent. » Par exemple, il y a des familles qui mettent l'accent sur la maladie : leurs enfants sont toujours malades. Certaines sont très portées à se plaindre et, bien qu'elles s'efforcent de les contenter, leurs enfants sont toujours de mauvaise humeur. Si vous êtes à l'affût des points négatifs et les repérez en permanence (spécialité de certains pères), on peut être sûr qu'ils vont se développer. Si vous montrez à vos enfants que vous remarquez quand ils agissent bien et commentez positivement leur action, ils se comporteront bien la plupart du temps !

LA QUALITÉ DE LA SEMAINE

Essayez cet exercice :

1. Choisissez les trois qualités que vous souhaiteriez le plus que votre enfant possède. Ça peut être n'importe quoi : gentillesse avec autrui, patience, douceur, persévérance, coopération, indépendance, créativité.

2. Choisissez l'une d'entre elles comme but de la semaine.

3. Prenez note de chaque moment où l'enfant fait preuve de cette qualité. Faites parfois un commentaire, d'autres fois remarquez-le simplement. Abstenez-vous totalement de tout commentaire négatif. À la fin de la semaine, soyez-en sûr, cette qualité sera en train de se développer. Vous pourrez alors passer à une autre. Vous pouvez aussi laisser l'enfant choisir une qualité et la pointer ensemble au cours de la semaine. Bien entendu, ne la repérez que s'il en fait *vraiment* preuve.

DU TEMPS

L'amour-tendresse a besoin de quelque chose d'essentiel : la présence. Ce qui veut dire : prendre le temps. Vous pouvez toujours *dire* à vos enfants combien vous les aimez. Si vous n'êtes pas assez présent, cela équivaudra à un mensonge. Avec les enfants, ce qui compte, c'est ce que vous *faites*, pas ce que vous dites.

Aujourd'hui, beaucoup de pères partent au travail à 7 h 30 et n'en reviennent qu'à 19 h 30 ou même plus tard. Il y a peu de chances que ces pères soient des parents accomplis ; s'ils le sont, ce sera au prix d'efforts surhumains, pendant les vacances et les week-ends. Ce n'est pas toujours leur faute. Le travail n'est pas encore un lieu où le « parentage » est reconnu… À l'âge de pierre, pour sauver leurs enfants, les parents devaient souvent affronter le tigre ou le mammouth laineux. À l'âge de l'ordinateur, il leur faut rembarrer leur employeur : le risque est le même !

Il n'y a pas que les papas. Beaucoup de mamans se font aussi « avoir » par le concept rassurant, mais pour beaucoup mensonger, de « temps qualitatif ». À ma grande honte, j'ai moi-même suivi cette approche dans mes premiers travaux. On ne peut pas avoir une présence de qualité auprès de ses enfants sur commande, de manière organisée, à l'instant T. Les relations humaines sont une entreprise délicate. Ce que ressent l'enfant quand un parent se met en mode « qualité de la présence » équivaut à ce que ressent une femme dont le mari pose son journal ou éteint la télé à 22 h 30 et devient très amoureux, après l'avoir ignorée toute la soirée.

Bien sûr, c'est important d'avoir des « moments spéciaux ». À ce titre, un premier comportement facile et très efficace à adopter consiste à s'asseoir tous les jours ensemble autour de la table pour un repas, le dîner ou même le petit déjeuner, en éteignant radio et télévision. Trop de familles ne prennent pas leurs repas en commun. Et pourtant, c'est un moyen idéal de renouer le contact.

Dans une large mesure, l'enfant estime sa propre valeur en fonction de la valeur qu'il a à vos yeux et au plaisir que vous prenez en sa compagnie. Imaginez le bonheur d'un bébé ou d'un tout-petit qui sait qu'il a plus de valeur à vos yeux que presque tout. En tant que bébé ou tout-petit, voilà ce qu'il doit ressentir : pas qu'il est le patron, mais que ses besoins comptent vraiment. Ce besoin décroît au fur et à mesure que l'enfant grandit, mais il existe encore pendant l'adolescence.

AUGMENTER SON APTITUDE À AIMER

Quelle est la façon la plus rapide de faire croître la part d'affection et de positivité que l'on donne à sa famille ? On peut commencer par acquérir un talent simple que possèdent, souvent sans le savoir, toutes les personnes aimantes : l'art de *vivre l'instant*.

L'instant présent est le temps dans lequel vivent les enfants. Pour eux, l'avenir est totalement hors de portée. Les enfants vivent pour maintenant !

Vous aussi, vous avez été comme cela autrefois. Vous souvenez-vous de votre enfance, quand une journée vous paraissait vraiment interminable ? Quand, au début des vacances d'été, deux mois sans école semblaient une éternité ?

Un adulte qui peut vivre dans l'instant, du moins une partie du temps, aura un succès immédiat avec les enfants. Les personnes âgées ont parfois cette capacité, parce qu'elles ont « arrêté la course ». Mais la plupart des parents (les personnes qui en ont le plus besoin !) ne se retrouvent pratiquement jamais dans l'instant. Quand j'étais jeune papa, j'étais un de ceux-là. Lorsque j'étais avec mes enfants, mon esprit était toujours ailleurs. Tout petit, mon fils me tapait dessus pour que je revienne sur terre.

De nombreuses personnes semblent avoir perdu le talent d'être, tout simplement, surtout quant ils vivent en ville, loin des rythmes de la nature. Pire encore, ils pensent qu'ils perdent leur temps, ou ne font rien, si une journée s'écoule tranquillement. Pourtant, si vous voulez entrer en contact avec vos enfants, leur montrer votre amour ou leur donner une éducation efficace, il faudra vous recaler sur le présent. Voici comment faire :

Comment ramener son cerveau à la maison

La plupart de nos ennuis viennent du fait que nous avons un cerveau. Pas un cerveau ordinaire, non, un cerveau humain, affreusement enclin aux soucis et abstractions auxquels un chien, un chat ou un canari n'accorderaient pas une seconde. Un jour, au cours d'une conférence, une mère m'a dit : « Je suis inquiète, je me demande si mes enfants auront jamais un travail. » Je lui ai demandé comment allaient ses enfants et elle m'a répondu : « Oh, je n'ai pas encore d'enfants ! » Elle était venue à ma conférence pour se préparer au métier de parent ! Une partie de moi-même s'est félicitée, une autre a pensé : « Cette fille ferait mieux d'aller en boîte ! »

Notre cerveau peut nous rendre malheureux parce qu'il est toujours en train d'échapper à notre contrôle. Du coup, nous manquons ce qui se passe juste sous notre nez. Le cerveau a trois façons de « se faire la malle » :

1. Ressasser le passé. Évoquer le passé peut être très agréable, mais la plupart du temps les gens s'en souviennent pour ressasser des regrets anciens (ce qui leur a manqué), de vieilles culpabilités (ce qu'ils ont fait qu'ils n'auraient pas dû faire) et de vieilles rancunes (ce que les autres auraient dû faire mais n'ont pas fait).

Ressasser le passé, sans rien en changer et sans avoir de pensées nouvelles est souvent une totale perte de temps. Mais cela représente sans doute la moitié de toutes les activités mentales humaines !

2. Foncer dans l'avenir. L'avenir aussi peut être un merveilleux objet de rêverie. Mais la plupart des gens se contentent de s'inquiéter de ce qui pourrait mal tourner. Ils se servent du futur pour s'entraîner à rédiger des « scenarii catastrophe » (expression bien trouvée !). Louez la vidéo du *Portrait d'une famille modèle*[1] et visionnez la scène de la partie de base-ball : un exemple éblouissant !

L'ennui, quand on craint le pire, c'est que soit on se sent paralysé, soit on réagit aux événements de manière exagérée. On ne voit pas les côtés positifs puisqu'ils ne rentrent pas dans le scénario du désastre. La beauté des roses vous échappe parce que vous vous imaginez en train d'attraper le tétanos avec leurs épines.

3. Souhaiter être ailleurs (ou penser qu'on devrait y être). Beaucoup de gens se rendent malheureux en regrettant de ne pas avoir pris « l'autre » décision : pris cet emploi, suivi cette formation, épousé l'autre garçon ou l'autre fille, déménagé dans cette autre ville, pas eu ce bébé. Ils se trouvent dans une situation, mais aspirent à une autre. Cela arrive à tout le monde de temps en temps. Mais les personnes sensées utilisent leur énergie pour apporter un changement, prévoir des vacances ou organiser l'avenir de façon à ce qu'il se rapproche un peu plus de leurs rêves. D'autres, en revanche, se contentent d'aspirer à autre chose. Si seulement... Ah ! Je serais heureux(se).

Pendant que nous sommes occupés à filer ailleurs en pensées, nous nous rendons malheureux et passons à côté de nos enfants.

[1] De Ron Howard, 1989.

LE BONHEUR, COMME L'ENFANT, EST DANS L'INSTANT PRÉSENT

Vous ne vous en êtes peut-être pas rendu compte, mais la plupart des meilleurs moments de la vie arrivent très simplement. La joie survient rarement de manière programmée. C'est parfois le cas, pendant les vacances ou à l'occasion d'une promenade, d'une fête de famille, d'une sortie bien méritée au restaurant ou au cinéma.

Mais pour chaque joie programmée, il peut en arriver dix complètement imprévues. Elles ne surviendront que si vous leur en laissez le loisir, que si vous prenez le temps de les goûter.

Le bonheur est comme un papillon : il attend que vous vous teniez tranquille pour se poser sur votre épaule.

LES INSTANTS MAGIQUES

Au moment où l'on s'y attend le moins, la vie nous offre des bulles de joie pure. Les publicités de la télévision s'inspirent d'ailleurs de ces instants de joie familiale pour vendre des céréales ou des voitures.

Vous connaissez bien le phénomène. Vous êtes dans un pré ou dans un parc avec vos enfants ; vous essayez de faire voler un cerf-volant. Il fait gris. Au début, le cerf-volant ne veut pas décoller. Puis soudain, il s'envole ! Les enfants courent vers vous, le cerf-volant haut derrière eux. Des oiseaux sillonnent soudain le ciel. Sorti des nuages, le soleil illumine leurs cheveux, créant des halos d'or. Tout fonctionne au ralenti... Vous entendez les violons ? Votre compagne/compagnon vous sourit avec adoration, et vous voilà en plein ravissement.

Pour rien au monde vous ne voudriez être ailleurs !

Les enfants stockent ces instants dans leur mémoire. Dans un moment de calme, ou pendant un long trajet en voiture, ils vont jouer à : « Tu te souviens quand… ? », rappelant en détail les bons moments passés en tel lieu ou tel autre. Cela participe à la construction de leur sentiment d'appartenance et de leur optimisme dans l'avenir.

Vous souvenez-vous des moments magiques de votre enfance ?

Je me souviens d'un match de football que j'ai suivi avec mon père, au chaud, bien à l'abri dans son grand manteau. Je me rappelle que ma mère me tenait sur le siège des toilettes quand j'étais tout petit. Elle s'asseyait sur le panier à linge, devant moi, et je me penchais vers elle. Elle avait peut-être peur que je tombe dedans ! Quelle qu'en soit la raison, je me sentais très bien. Et je me souviens que je faisais durer la chose !

LE HAPPY END : AU QUOTIDIEN !

Nous connaissons une famille qui a un fils de cinq ans et une fille de deux ans. Tous les soirs, quand ils vont au lit, les enfants ont droit à un rituel spécial. Au lieu de leur lire une histoire, papa et maman leur racontent les événements de la journée.

À la fin du récit, ils disent à leurs enfants quel a été pour eux le meilleur moment de la journée. Puis, ils demandent à chacun : « Quel a été le meilleur moment pour toi ? » et écoutent attentivement ce que les enfants ont à dire. Puis ils les embrassent et leur souhaitent bonne nuit.

Voilà une merveilleuse façon de terminer la journée et une manière extrêmement puissante de programmer l'énergie vers les choses positives de la vie.

LA VIE DE FAMILLE, C'EST DE LA FOLIE

De nos jours, la vie de famille ressemble souvent à de la folie organisée. Les parents se lèvent avant 6 h, avalent un petit déjeuner, filent déposer les enfants chez la nourrice ou à l'école – ils y resteront jusqu'au soir. Après le travail, ils vont les chercher, rentrent à la maison, préparent le dîner, ont leur temps de « présence de qualité » (ha ha !), font le ménage ou finissent des dossiers rapportés du travail et s'effondrent dans leur lit après minuit.

Aujourd'hui, dans nombre de familles, pour payer le logement dont ils sont propriétaires, les parents doivent travailler tous les deux pendant trente ans. Certains passent un quart de leur vie éveillée assis dans un véhicule. Certains pères retravaillent encore le soir pour payer les études de jeunes qui, de toute façon, détestent l'école, développent une piètre estime d'eux-mêmes et ont des problèmes de drogue parce que leurs pères ne sont jamais à la maison. Certains mariages s'écroulent sous le laisser-aller et la fatigue. Chacun des deux conjoints invoque des « problèmes de communication », mais chacun a davantage de « relations de qualité » avec la dame de la cantine ! Il semble que le stress soit en train de tuer la famille actuelle.

REMETTRE LES PIEDS SUR TERRE : UNE MÉTHODE POUR CALMER LE JEU

Se recentrer est un moyen simple et efficace d'obliger l'esprit à se calmer et à se focaliser sur « ici et maintenant ». On peut faire cela partout : en conduisant, en faisant la vaisselle, en parcourant le couloir ou en faisant l'amour. Voici comment s'y prendre.

Pourquoi ne pas vous y exercer tout de suite, en lisant. Commencez par prêter attention aux sensations internes de votre corps : comment se sentent vos muscles, comment se sentent vos organes. Notez simplement ces sensations, même les plus infimes. Focalisez-vous sur ces sensations, aussi vagues soient-elles. Puis, prenez conscience des contacts de votre corps : vos mains sur ce livre (vos épaules sont-elles détendues ?), le dossier de la chaise qui appuie sur votre dos, vos vêtements sur votre peau. Remarquez simplement ces sensations, et intensifiez-les.

Ensuite, déplacez votre attention vers l'extérieur. Regardez autour de vous, humez les odeurs, écoutez les sons qui vous entourent. Prenez conscience de votre environnement. « Reprenez vos sens », littéralement.

Vous distinguerez trois niveaux de sensations. L'intérieur de votre corps : vous êtes plein d'énergie, fatigué, détendu, vous avez besoin de changer de position ; vos *contours* : ce que vous touchez, vos mains sur ce livre, l'air sur votre visage ; votre *environnement* : ce qui se passe autour de vous, les bruits, les couleurs, l'action qui se déroule.

Sans en attendre quoi que ce soit ni préjuger de rien, le fait de prendre conscience de ces trois zones de sensations aura sur vous plusieurs effets.

Votre esprit va ralentir.

Vous allez rendre plus intense le moment présent, sa beauté, sa richesse.

Les signaux de votre corps vont vous parvenir avec plus de force, pour vous informer qu'il y a quelque chose à faire : s'étirer les jambes, aller aux toilettes ou manger un morceau. Et ainsi de suite.

Il nous arrive parfois d'être gênés par notre hyperactivité cérébrale. La meilleure façon de se détendre l'esprit est de lui donner un sujet d'attention, quelque chose de réel et de présent. Si vous êtes en train de conduire, remarquez le toucher du volant ; si vous remplissez le lave-vaisselle, le contact des assiettes ; si vous êtes avec votre enfant, le contact et la chaleur de son corps proche de vous.

Contrairement à la relaxation, le « recentrage » se pratique n'importe où, en quelques secondes. Son utilisation exige de l'entraînement et de la concentration, mais c'est aussi naturel que de respirer. Pratiquez-le, et vous pourrez être sûr d'améliorer à chaque fois votre état d'esprit. En général, les petits enfants, ainsi que les personnes très nature, simples et pleines de vie, ont naturellement les pieds sur terre. Vous pouvez apprendre à en faire autant en vivant simplement parmi eux. En vous recentrant plus souvent, les autres états d'esprit vous attireront de moins en moins. Lorsque vous deviendrez trop bousculé ou trop agité, ou déprimé, prisonnier de vos pensées, vous serez capable de vous ramener en douceur aux plaisirs d'ici et maintenant.

DU TEMPS POUR SOI :
CE DONT CHAQUE PARENT A BESOIN

On ne peut pas donner de l'amour si l'on n'a pas le sentiment d'être soi-même. Et ce sentiment n'apparaît que quand on se donne de l'espace pour exister. Il faut se ménager chaque jour des instants pour soi.

Pour trouver ce temps, certaines personnes se lèvent plus tôt, ou restent debout plus tard, quand tous les autres sont partis se coucher. D'autres passent un contrat avec leur conjoint pour que chacun d'eux puisse avoir des moments pour lui.

Le moment pour soi est plus important encore que le moment du couple parce qu'il est impossible d'entrer en relation avec son conjoint si l'on ne s'est pas « retrouvé » soi-même. Une fois satisfait en soi-même, on a en général le désir de se rapprocher de l'autre, mais pas avant.

Prendre du temps pour soi ne veut pas dire faire le ménage, même si parfois un bon nettoyage (en ayant confié les enfants à quelqu'un) peut être très gratifiant. Non, c'est par exemple du temps passé avec des amis. Regarder la télévision ne marche pas très bien : on se perd plus qu'on ne se retrouve. Écrire fonctionne très bien : des lettres ou votre journal. La prière et la méditation sont de bonnes choses si vous avez l'habitude de ces pratiques. La lecture fonctionne plutôt bien. Détendez-vous dans la baignoire avec un verre et un magazine ! Allez faire un tour dans la nature, dans votre jardin, ou promenez le chien. À chacun sa manière de s'accorder du temps personnel. L'important, c'est de le faire régulièrement.

L'ARBRE DE LA VIE (DE FAMILLE)

On fait grandir une famille comme on fait pousser un arbre.

• Les racines, c'est votre propre enfance et la façon dont vous prenez soin de vous-même.

• Le tronc, c'est votre couple et votre investissement dans vos enfants.

• Les branches sont vos actions, basées sur les choix que vous faites tous les jours.

• Vos enfants sont les fleurs et les fruits.

Quand j'étais enfant, les gens étaient gentils avec moi ; cela me fait plaisir de rendre la pareille aux enfants d'aujourd'hui.

OU BIEN : mon enfance a été difficile, c'est pourquoi je sais combien il est important « d'arroser et de nourrir les racines ». Cela va m'aider à faire et à obtenir de bonnes choses pour moi.

*Je prends soin de moi-même
et réserve du temps pour moi.*

Je consacre du temps à mon couple et cherche à connaître mon conjoint. Je fais cela pour moi, pour lui et pour mes enfants.

Je préfère être avec mes enfants en étant pauvre qu'avoir de l'argent, mais pas de temps à leur consacrer.

J'embrasse mes enfants, je joue et ris souvent avec eux.

J'apprécie vraiment mes enfants et j'aime passer du temps avec eux. La plupart du temps, ça me fait du bien d'être avec eux.

Je protège mes enfants des personnes dangereuses et évite qu'ils aient des accès à des médias violents ou de mauvaise qualité.

*Je prends des mesures
pour contrôler la manière dont mon travail empiète
sur ma famille et ma vie.*

Nous dansons, jouons de la musique et chantons.

Je me montre ferme au sujet du comportement de mes enfants, surtout pour ce qui est du respect des droits et des sentiments des uns et des autres.

Nous vivons de manière aussi naturelle que possible ; nous nous efforçons de manger une nourriture saine et travaillons à améliorer notre monde et notre quartier, à en faire des lieux plus sûrs.

Nous cultivons des amitiés sûres. Les relations avec les grands-parents, les voisins, les cousins et nos amis proches tissent un réseau de soutien sur lequel nous pouvons compter.

LAISSEZ LES ENFANTS ÊTRE DES ENFANTS !

Il y a longtemps, je travaillais dans un collège avec des jeunes déscolarisés. Un jour, pendant la récréation, un groupe d'adolescents de douze ans a disparu derrière une énorme pile de mobilier endommagé ; j'entendais sortir du tas des rires étouffés et un certain remue-ménage. Soupçonnant un mauvais coup, je suis entré à quatre pattes dans l'édifice pour mener mon enquête. À mon grand embarras, je les ai vus en train de se partager leurs goûters et leurs boissons dans cette sorte de cabane improvisée ! Ils m'ont invité à les rejoindre, mais je me suis contenté de leur sourire et de battre honteusement en retraite vers le monde extérieur. J'avais oublié qu'ils n'étaient que des enfants, et qu'ils avaient besoin de jouer.

Le dommage le plus grave et le plus insidieux qu'on ait sans doute fait subir aux enfants ces vingt dernières années est la façon dont on les a privés de leur enfance. C'est arrivé de plusieurs manières.

1. L'acharnement médiatique. Tous les jours, les informations et les différentes émissions nous offrent un concentré d'horreur, de crainte, de malheur et de souffrance. L'écran de la télévision est petit : on s'y croit obligé de choquer pour retenir l'attention. Les médias crachent les mêmes messages aux tout-petits et aux personnes de soixante ans. Nous surchargeons nos enfants d'une négativité superflue, qui n'a rien à voir avec leur existence ; ils ne sont pas équipés pour s'en défendre.

2. Une vie surprogrammée. Je connais beaucoup de familles qui passent soirées et week-ends à trimballer leurs enfants vers tout un éventail d'activités sportives, musicales ou culturelles, quand ce ne sont pas des cours supplémentaires. Quand tous ces extras s'ajoutent à la pression des devoirs, il ne reste à l'enfant que très peu de temps pour vivre simplement sa vie d'enfant. Nous avons devant nous les générations les plus surprogrammées qui aient jamais existé. La solution réside peut-être dans ce précepte de base : à chaque enfant une activité, et une seule.

3. La névrose de la compétition. Alimentant pour partie le second point, il y a ce sentiment, qui déteint vite sur les enfants, que la vie est une course acharnée. Ainsi les études s'entourent-elles d'une ambiance d'anxiété, alimentée par l'obsession de la performance, et cela dès l'école maternelle. Au lieu de s'amuser les uns avec les autres, les enfants sont inscrits dans un club de sport de compétition, souvent onéreux. Des mômes de sept ans comparent leurs scores, s'inquiètent de leurs performances, prient pour être sélectionnés dans l'équipe. C'est de la folie pure.

4. Des parents surmenés. Comme nous sommes très occupés à fournir à nos enfants tous ces biens de consommation, nous disposons de peu de temps et d'énergie pour maintenir le contact avec eux. Nous devenons tendus, cassants et de piètres confidents pour nos enfants. Alors nous nous sentons coupables, leur fournissons encore plus de biens et d'activités et devons travailler encore plus pour les payer.

5. L'insécurité ambiante. Autrefois, dans l'Australie des années 1950, les enfants se promenaient librement dans les rues et la nature environnante. On ne les apercevait guère entre le petit déjeuner et le déjeuner. Mais aujourd'hui, nous devons les surveiller attentivement et les protéger de la circulation, des rôdeurs et de la délinquance.

Ce qu'il faudrait, c'est « reverdir » l'enfance, comme on le fait pour l'environnement. Protéger la nature sauvage de nos enfants, si précieuse. C'est un investissement actif : il faut écarter, éloigner toutes pressions et ingérences superflues. Il faut « dépolluer » la vie de nos enfants.

Quelques « recettes »

• Ménagez une bonne quantité de temps, d'espace et de matériaux pour des jeux simples. Les jouets en plastique sont bon marché et propres ; mais la boue, les vieux papiers, l'argile et l'eau sont bien meilleurs : ils libèrent entièrement les penchants naturels et l'imagination spécifique des enfants.

• Créez un ennui constructif. L'enfant qui a l'habitude d'être occupé par des jeux informatiques, des vidéos ou des programmes « éducatifs » mettra un certain temps à jouer de sa propre initiative. Il vous faudra peut-être résister un temps à ses « je m'ennuie » pour qu'il s'y mette par lui-même.

• Le jeu est important. Les psychologues sont en train de découvrir que c'est en jouant que les enfants comprennent l'organisation de leur monde, déjouent les soucis, dépassent leurs peurs et apprennent à nouer des liens avec les autres. Le jeu est la source de toute créativité et inventivité. Les grands musiciens, savants, amoureux, artistes et même managers sont ceux qui ont préservé leur capacité à jouer avec leurs idées et leur travail.

• Vous aussi, vous pouvez jouer. Les adultes en crise ou en recherche d'eux-mêmes trouvent souvent un réconfort dans la créativité, la musique, un environnement naturel, le mouvement et le plein air.

• Arrêtez de regarder les nouvelles le soir. Ne laissez pas le poste de télévision allumé en permanence. Choisissez les émissions, regardez-les, puis éteignez la télévision. Accordez aux enfants une heure de télévision par jour et laissez-les choisir ce qu'ils veulent regarder.

• Concernant votre mode de vie, posez-vous cette question : est-ce que j'aime vraiment l'endroit où je vis, ma façon de vivre et mon métier ? D'autres choix rendraient-ils ma vie plus heureuse, plus simple, tout en étant stimulante et riche ? Peut-être qu'aujourd'hui, le monde entier aurait besoin de « décompresser ». Les enfants sont une bonne occasion de le faire.

Parfois, l'arrivée d'un bébé nous plonge dans une hyperactivité frénétique : on repeint la chambre, on fait des heures supplémentaires pour préparer son avenir, de gros efforts pour se procurer ce dont on pense qu'il a besoin. Alors que ce dont il a vraiment besoin, c'est de nous !

Mon travail auprès de familles en détresse m'a donné une raison supplémentaire de ne pas laisser mes activités professionnelles gâcher ma vie, et cela de façon nette et décisive. Parfois, un enfant meurt. Et si l'on a négligé le présent en besognant pour l'avenir, on se sent vraiment mal.

La meilleure chose que vous puissiez faire pour vos enfants est de profiter d'eux.

Dernières découvertes :
de nouvelles vitamines pour les enfants

Nous connaissons tous les vitamines, de A à K, dont la présence est nécessaire dans notre régime alimentaire journalier pour favoriser la croissance et le bien-être. Les scientifiques ont récemment découvert de nouvelles vitamines, tout aussi indispensables. Les voici :

La vitamine M, pour musique. On la trouve généralement chez les jeunes parents ; elle peut immédiatement être ajoutée à l'alimentation familiale. Mettez une musique qui vous plaît et dansez avec les enfants dans le salon. Souvent ! Prenez-les dans vos bras s'ils sont trop petits et emportez-les dans votre danse. Chantez dans la voiture, enregistrez vos chansons préférées. Laissez traîner des instruments de musique simples. Si vous faites donner des cours de musique à vos enfants, assurez-vous qu'ils se passent bien, et qu'au moins votre enfant s'y amuse.

Vitamine menacée par le bruit continu de la radio et de la télévision : l'enfant apprend à ne pas entendre.

La vitamine P, pour poésie. Apprenez à vos tout-petits des petites récitations et des comptines. Les plus grands peuvent réciter ou mettre en scène leurs petits poèmes préférés lors des réunions de famille. Écoutez de la poésie et des histoires enregistrées et savourez la voix des récitants. Les « fabulettes » d'Anne Sylvestre et les chansons d'Henri Dès recèlent bien des merveilles.

La vitamine N, pour nature. Offrez à vos enfants la chance de vivre dans un environnement entièrement vide d'humains. Pour un tout-petit, un jardin peut faire l'affaire :

plein d'insectes et de petites bêtes rampantes, de buissons et d'arbres attirant les oiseaux. Mais dès que vous le pouvez, recherchez la nature, allez voir la mer. Observez les couchers de soleil. Campez en plein air. Cette vitamine est très proche de la **vitamine S**, pour spiritualité, qu'on trouve parfois dans les églises, les temples, les mosquées et autres lieux de prière.

Cette vitamine est menacée par les jeux informatiques, la vie en ville, les parcs d'attractions et l'idée que le plaisir est quelque chose qui s'achète.

La vitamine R, pour rire. Disponible partout. Se transmet de l'enfant à l'adulte, et réciproquement. La vitamine la plus courante du monde. Absente à l'état naturel sur les lieux de travail, mais peut y être importée en contrebande.

La vitamine R est menacée par le port de la montre.

La vitamine O, pour optimisme. L'espoir est présent à l'état naturel ; il suffit de veiller à ce qu'il ne soit pas détruit par l'action des toxines. Évitez de regarder les nouvelles ou de voir le monde au travers des journaux. Ne vous laissez pas aller à ressasser le malheur du monde devant vos enfants, surtout s'ils sont adolescents. Rejoignez une association qui travaille à l'amélioration des choses : une organisation de défense de la nature, une ONG qui œuvre à l'étranger... et dont les publications soient POSITIVES. On a constaté que les enfants dont les parents sont impliqués, même très modeste-ment, dans ce type d'activité sont en meilleure santé mentale, ont une vision plus positive de leur environnement et de l'ave-nir, et s'impliquent eux-mêmes davantage dans l'amélioration du monde.

L'AMOUR-FERMETÉ

Le secret des enfants bien élevés

C'est un signe des temps : on voit resurgir le mot *discipline*. Pour ceux d'entre nous qui ont vécu les années 1960, c'est un revirement stupéfiant. Pendant près de vingt ans, ce mot n'a plus figuré que dans les publicités pour clubs SM. Aujourd'hui, il suffit de feuilleter les magazines pour la famille et de regarder les rayons des librairies pour constater que la discipline est à l'ordre du jour. Et ce n'est pas trop tôt. Sur beaucoup de plans de maisons modernes figure une pièce baptisée « refuge des parents » : il est grand temps de réagir. Reprenons possession de nos maisons !

LA DISCIPLINE, POUR QUOI FAIRE ?

Aïe ! Vous les apercevez en train de remonter l'allée : votre meilleure amie et son môme infernal, un démon de trois ans ! Le genre qui met de la confiture sur le canapé, écrit sur les rideaux et fait peur aux pitbulls. Est-ce qu'il faut que j'ouvre ma porte ? Ai-je encore le temps de me planquer ?

Curieuse chose que la discipline : on la remarque quand elle est absente. Nous connaissons tous des parents qui n'exercent aucun contrôle sur leur enfant ; et nous sommes nombreux à avoir nous-mêmes ce problème ! Obtenir la coopération d'un enfant est un défi que doivent relever presque tous les parents à un moment ou à un autre et de nos jours, une majorité de parents australiens sont perdus dès qu'il s'agit de discipline.

En revanche, un petit nombre d'entre eux a l'air d'avoir mis les choses au point. Quel est donc leur secret ? Ces parents disent à leur tout-petit : « Bon, tu viens maintenant », et le petit arrive VRAIMENT ! Vous allez chez eux et vous restez béat. Leur fils de dix ans est en train de préparer le dîner pour toute la famille. Leurs adolescents téléphonent pour prévenir qu'ils rentrent plus tôt. Et ces jeunes n'ont pas l'air de petites souris timides : ils sont heureux, confiants, détendus. Comment les parents s'y sont-ils pris ?

Nous désirons tous avoir des enfants respectueux des règles, pour une raison simple : cela rend la vie bien plus harmonieuse. Céder aux enfants ne rend pas la vie plus facile. Les parents qui rechignent à fixer des barrières découvrent que leurs enfants se comportent de plus en plus mal. Sans règles claires, on peut passer la journée en débats harassants avec son enfant ; le soir, tout le monde s'en ressent. Alors que si vous disposez d'une méthode de discipline efficace, les problèmes sont vite résolus et vous pouvez continuer à profiter de la vie ensemble.

Mais ce n'est pas tout. Nous ne demandons pas de la discipline à nos enfants juste pour notre confort, simplement pour obtenir « de la règle et de l'ordre ». Après tout, si ce que l'on désire avant tout c'est une vie bien ordonnée, mieux vaut ne pas avoir d'enfants. L'objet véritable de la discipline est d'apprendre aux enfants à s'intégrer au monde avec bonheur et aisance.

Sans une certaine fermeté de la part des parents, les enfants ne développent pas de contrôle interne et continuent de réagir comme des enfants de deux ans à l'âge de cinq, quinze et même vingt-cinq ans. Sans discipline intérieure, la vie du jeune est un désastre. Les parents qui laissent leurs enfants faire ce qui leur plaît sont assurés de les empêcher sérieusement de vivre leur vie. Ces jeunes risquent de finir malheureux, sans emploi, sans conjoint, isolés, rebelles, peut-être même en prison. En revanche, l'enfant qui a appris l'autodiscipline sait négocier avec son environnement et éviter les ennuis : il est vraiment libre.

La discipline, c'est apprendre à s'accorder avec soi-même et avec les autres. Après l'amour, il n'y a rien de plus important que vous puissiez leur donner. Mais attention, pas la discipline dans le sens où on l'entendait autrefois !

Ici, la discipline est comprise dans une approche que nous appelons amour-fermeté : elle trouve sa motivation dans l'amour que nous portons à notre enfant. Un parent qui utilise l'amour-fermeté dira : « Je t'aime ; c'est la raison pour laquelle je vais t'empêcher de te comporter comme ça. » Il relie amour et fermeté. Il ne frappe jamais, il ne fait jamais souffrir l'enfant, il ne le blâme jamais. Mais il *est ferme*.

« RÉFLÉCHIR À L'ÉCART », ET NÉGOCIER

Vous vous demandez sans doute maintenant : « Quelle est cette méthode miraculeuse qui permet d'obtenir la collaboration des enfants ? » Le moment est venu de vous l'expliquer. L'amour-fermeté s'appuie sur deux grandes techniques : la première s'appelle « réflexion à l'écart », la seconde, négociation. On les applique dès que l'enfant commence à marcher, on les modifie et on les développe au fur et à mesure qu'il grandit ; elles s'adaptent à l'adolescence et à l'âge adulte. De fait, ses capacités à « réfléchir à l'écart » et à négocier vont constituer les ressources intérieures de votre enfant devenu adulte ; elles vont l'aider à faire preuve de maturité, de réflexion et de sagesse à toutes les étapes de sa vie.

Voyons comment procéder.

LUCIE TROUVE À QUI PARLER

Lucie, vingt mois, joue avec les fils électriques de la chaîne stéréo. Elle ne le fait ni en silence ni en catimini, mais sous le nez de sa mère et de son père, pris par leur conversation. Sa mère la voit et l'appelle : « Lucie, ne touche pas aux fils. Sors de là-derrière, va jouer avec tes jouets. »

Lucie ne bouge pas d'un cheveu. Sa mère se lève et se pose devant elle. « Lucie, laisse ces fils et viens par ici. » Lucie lève le nez ; sur son visage flotte un petit air bien connu : « Alors, qu'est-ce que tu vas faire maintenant ? » Sa maman fait une dernière tentative : « Éloigne-toi des fils ! » Lucie retourne à ses branchements en marmottant : « Nan-nan-nan ! »

Jusqu'à ce jour, Lucie n'a jamais rien fait d'aussi *vilain*. On a toujours réussi à la détourner de ses bêtises ou à négocier l'affaire. Aujourd'hui, c'est sa première véritable expérience de l'autorité. Elle invite ses parents à lutter avec elle parce que c'est ce dont elle a besoin.

Il est temps d'agir. La mère de Lucie se penche rapidement vers sa fille, l'attrape à deux mains par la taille, la soulève et l'emmène à l'autre bout de la pièce, dans le coin libre (il devrait y avoir un coin libre dans tous les salons). Lucie n'apprécie pas du tout cette attention. Elle crie, hurle, agite les membres et cherche à frapper, raison pour laquelle sa mère la tient fermement par-derrière. Tout en continuant à la tenir ainsi, ferme et sereine, elle lui dit : « Quand tu seras prête à te calmer, tu pourras repartir. »

Lucie passe par un certain nombre de « stades » que vous connaissez peut-être : elle crache, essaie de mordre, de vomir son repas. D'autres enfants retiennent leur respiration, vous insultent, etc. Lucie n'a jamais été frappée ; elle n'a pas peur. En fait, elle est folle de rage. Qui ose ainsi se mêler de ses impulsions ? Elle regarde son père, debout à l'autre bout de la pièce. « Papa, aide-moi ! » Son père se rapproche et aide à la tenir. Il répète ce que sa mère a dit à Lucie, d'une voix calme et rassurante : « Lucie, tu dois rester loin des fils électriques. » Après une minute qui en paraît dix, Lucie abandonne la lutte et se calme. Pendant tout ce temps, sa mère lui a répété doucement : « Quand tu seras prête à te calmer, tu pourras repartir. » Elle questionne directement Lucie : « Est-ce que tu es prête maintenant à rester loin des fils ? – Voui ! »

Les deux parents se reculent. « C'est très bien, Lucie ! » et l'observent pour voir ce qu'elle va faire. Lucie regarde les fils. Elle regarde ses parents. Elle regarde ses jouets, de l'autre côté de la pièce. Puis elle se dirige vers ses jouets. Son papa et sa maman poussent un gros soupir de soulagement et se rassoient. Pendant les semaines qui suivent, Lucie essaiera encore une fois de « rebrancher la chaîne », mais s'arrêtera dès qu'on le lui demandera.

Avant ses cinq ans, elle fera plusieurs séjours au « coin de réflexion », pour toutes sortes de raisons. À l'âge de deux ans et demi, elle s'y rendra en général d'elle-même quand on le lui demandera et restera tranquillement debout, à réfléchir. À cinq ans, elle aura appris à réfléchir, à prendre conscience de ses actes, à prendre en compte les sentiments d'autrui tout en restant une enfant heureuse, spontanée et facile à vivre.

PAS DE COUPS, PAS DE BLÂME, PAS DE CRAINTE

Pour la petite Lucie, le fait qu'on l'ait prise à bras-le-corps pour la faire « réfléchir à l'écart » a été une surprise. Mais seul son orgueil a été froissé, et seulement pour quelques minutes. Il nous est parfois nécessaire de faire preuve de supériorité physique avec les petits enfants ; mais nous devons toujours rester rassurants, ne jamais effrayer. En faisant sortir un tout-petit qui hurle du super-marché où il voulait rester, en l'empêchant de verser du soda dans l'oreille du chien qui dort, en interrompant une bagarre entre gamins, nous sommes obligés de lui montrer physiquement que cela ne se fait pas. Avec un tout-petit, il faut coordonner la parole et l'action. Agir calmement, sans faire mal (même si l'on est en colère). Mieux vaut d'ailleurs agir vite, bien avant de perdre son calme. Quand vous vous sentez très en colère, abandonnez la « négocia-tion » et mettez l'enfant à l'écart, dans sa chambre, jusqu'à ce que VOUS vous calmiez.

Vous serez rapidement en mesure de dire à votre enfant de se rendre dans un endroit choisi de la pièce pour y « réfléchir à l'écart ». Il le fera, sachant qu'il n'a pas d'autre option, sachant aussi que ça ne lui prendra pas longtemps et que ce n'est ni un gros problème, ni une punition : juste la façon de venir à bout d'un différend. L'accent est mis sur la découverte, par l'enfant, d'une solution qui soit acceptable par lui.

Perversité ou énergie ?

Il suffit d'observer le corps humain pour se rendre compte qu'il est conçu pour le mouvement.

Dans son merveilleux ouvrage *Le chant des pistes*, Bruce Chatwin raconte que les Bochimans du Kalahari portent leurs tout-petits sur 4 000 kilomètres en moyenne avant qu'ils ne marchent tout seuls.

Notre corps a été conçu pour parcourir chaque jour de nombreux kilomètres. Adultes et enfants s'ennuient et ne tiennent pas en place s'ils doivent rester longtemps sans bouger.

Pire encore, jouer sur l'ordinateur ou regarder un programme télévisé excitant rend l'enfant nerveux parce que ces activités lui font générer de l'adrénaline, sans ouvrir de débouché pour la dépenser. Il FAUT que les enfants sortent et bénéficient tous les jours d'une grande quantité d'exercice physique.

La psychologue du travail Kerry Anne Brown pense que de nombreux talents développés plus tard – lecture, écriture, mais aussi une colonne vertébrale bien droite et une bonne coordination générale – dépendent du fait que pendant les premières années d'école, les enfants courent, grimpent, sautent, attrapent des ballons et dépensent des tonnes d'énergie. Dès le plus jeune âge, ces activités contribuent à l'organisation du cerveau et au développement musculaire ; elles permettent ensuite le développement de mouvements plus subtils, comme la tenue du stylo. Même le fait de porter les tout-petits dans un porte-bébé ventral ou dorsal est un vrai « plus », tout comme les chahuts qu'invente le papa sur le tapis du salon.

Investir dans un trampoline est une très bonne idée. Tout matériel servant à grimper et se balancer, suffisamment sûr et bien conçu, vaut son pesant d'or.

Les jardins publics sont très importants. Faites pression sur votre municipalité pour qu'elle aménage de nombreux terrains de jeux dans des endroits protégés du vent et abrités du soleil, avec des bancs pour les adultes. Ces parcs devraient se trouver à proximité des habitations, et pas dans un endroit isolé où les mères ne se sentiraient pas en sécurité. Ils devraient être entourés de bonnes barrières pour qu'on puisse lire tranquillement son magazine sans craindre que le petit s'égare. Une autre bonne idée serait d'y installer des toilettes propres et accueillantes.

Si vous sentez que vous êtes au bord de l'implosion, allez au parc. J'ai passé de nombreux samedis à « traîner au parc ». Grâce au snack et aux sandwiches, j'ai pu totalement satisfaire mes enfants, et pour pas cher !

DÉPASSER LES VIEILLES MÉTHODES

En un siècle, on a vu s'élaborer trois approches de la discipline. Traditionnellement, pour les forcer à obéir, les gens avaient l'habitude de battre les enfants, de leur faire mal ou de leur faire peur. Plus tard, les coups sont passés de mode et les parents ont recouru au blâme et à la honte pour mettre au pas leurs enfants en les culpabilisant. Plus récemment, on a utilisé des méthodes d'isolement, envoyer l'enfant dans sa chambre par exemple. Nous connaissons les effets de la prison sur les adultes : isoler les gens ne leur apprend généralement pas grand-chose. On ne voit guère de changement.

L'amour-fermeté dépasse toutes ces méthodes ; il reconnaît que la discipline consiste à s'impliquer et à enseigner quelque chose à l'enfant. Cela n'a rien à voir avec la punition. Le principal avantage de l'amour-fermeté (technique de « réflexion à l'écart » et apprentissage de la négociation), c'est qu'il n'est jamais nécessaire de frapper son enfant. Votre enfant, et peut-être un jour tous les enfants, pourront grandir sans craindre leurs parents d'aucune façon. Pouvez-vous imaginer quel bonheur ce serait ?

L'amour-fermeté, cela suppose assurément d'affronter ses enfants et de leur laisser gérer une certaine dose d'inconfort. Mais jamais d'infliger une souffrance. L'objectif de l'amour-fermeté, c'est d'aider les enfants à trouver d'eux-mêmes de meilleures manières de résoudre leurs problèmes.

Un autre exemple.

SERGE MANGE SES PETITS POIS

Quatre ans après la naissance de Serge, leur petit garçon, David et sa femme Louise décident qu'il est grand temps de recommencer à aller au restaurant. Ils ne voient pas pourquoi il serait impossible d'aller dans un restaurant correct (avec de vraies nappes en tissu) avec un enfant et de s'offrir un repas tranquille.

Ils passent à l'acte et les voici au restaurant, prêts à commencer le repas. Mais le petit Serge n'est pas content. Maman et Papa se regardent et ne le regardent pas, lui. Il s'ennuie. Alors il commence à faire voler ses petits pois. Son père le met en garde en chuchotant : « Arrête de lancer tes petits pois ! » Mais la façon dont il le dit fait passer un autre message : « S'il te plaît, pas ici ! Pas devant tous ces gens. » Serge expédie un autre petit pois. Son père regarde sa mère, qui le regarde aussi. L'enjeu est redoutable.

David devient plus ferme : « Mange normalement, sinon tu vas devoir rester à l'écart, près du mur. » Serge lance un nouveau petit pois. Pas croyable ! Les petits garçons veulent toujours que leur père ait du cran et respecte la parole dite. C'est ce que va faire David. Il emmène Serge, avec douceur mais fermeté comme on dit dans les manuels, et passe devant une quarantaine de dîneurs ébahis pour le laisser dans un coin de la salle. Il lui dit : « Je viendrai te parler quand tu montreras que tu es prêt à t'asseoir et à manger sagement. » Puis il retourne calmement à sa table.

Serge est un peu bluffé. Bientôt, il courbe les épaules et lance des regards anxieux à l'autre bout de la salle. David le rejoint et lui demande : « Es-tu prêt à négocier ? – Oui. – Qu'est-ce que tu as fait de mal ? – Lancer mes petits pois – Qu'est-ce que tu vas faire maintenant ? – Manger normalement. – O.K. Tu as trouvé ! » Et ils marchent vers la table.

Un « ouiii ! » imperceptible flotte au-dessus des tables. D'autres parents, qui ont payé cinquante euros la baby-sitter pour pouvoir sortir, prennent des notes. *Es-tu prêt à négocier ? Qu'as-tu fait ? Qu'est-ce que tu aurais dû faire ?*

Si Serge n'avait pas été habitué, tout petit, à « réfléchir à l'écart », la prudence aurait sans doute voulu qu'on le sorte du restaurant. Il aurait sans doute hurlé, se serait débattu et, pour son papa (et les autres convives !), tout aurait été plus facile à l'extérieur. Néanmoins, si vous sortez votre enfant, ne le laissez pas tout seul. Des paroles fermes et un changement de décor suffisent en général pour que l'enfant prenne conscience qu'il s'en tirera mieux en restant sage. David était pleinement conscient qu'il s'agissait d'une occasion d'apprentissage et que leurs futures sorties au restaurant en dépendaient.

Comment utiliser les techniques de « réflexion à l'écart » et de négociation ?

1. Préparation. Demandez-vous : « Qu'est-ce qui cloche ? Qu'est-ce que je veux que l'enfant fasse pour arranger ça ? » Autrement dit, fixez un objectif clair avant de vous lancer.

2. Former un enfant à réfléchir à l'écart est un savoir-faire en soi. Un tout-petit, il suffit de l'emmener dans un endroit que vous avez choisi et de vous reculer un peu. Dites-lui : « Tu dois rester là jusqu'à ce que tu sois prêt à te mettre d'accord. Tu pourras sortir quand tu seras calmé. » Ou bien, si vous le tenez dans vos bras : « Je te laisserai partir quand tu te calmeras. » À cet âge, dès qu'il montre un signe d'acceptation ou bredouille quelque chose qui ressemble à une excuse, laissez-le partir. Facilitez-lui la tâche pour trouver la bonne solution. Par exemple, s'il jetait ses jouets contre le mur alors que vous lui demandiez de les ranger dans son coffre, rapprochez le coffre.

3. Quand l'enfant grandit (à partir de deux-trois ans), la conversation qu'il a avec vous devient plus importante.

Rappelez-vous qu'il doit vous convaincre que les choses vont changer. Il doit s'en sortir par la parole et vous assurer qu'il va agir différemment. Cela s'appelle la négociation. Il doit apprendre à négocier.

Précisez-lui sa tâche : « Tu restes là, debout, et tu réfléchis à ce que tu as fait pour avoir tous ces ennuis. Dès que tu as trouvé, je viens et on en parle. »

4. Phase de négociation. Demandez-lui :

a. « Qu'est-ce que tu as fait ? » C'est important d'assumer ses actes.

b. « Qu'est-ce que tu ressentais ? De quoi avais-tu besoin ? »

c. « Qu'est-ce que tu aurais dû faire pour avoir ce que tu voulais ? » Est-ce qu'il connaît une meilleure méthode ? En avez-vous déjà discuté ? Il vous faudra peut-être lui apprendre. Par exemple, il peut se joindre à un jeu auquel jouent les autres ; utiliser un minuteur pour partager équitablement un jouet ; placer ses jouets à un endroit où le bébé ne risque pas de les abîmer…

d. « Comment vas-tu t'y prendre à l'avenir ? » On doit obtenir un engagement.

e. « Montre-moi. Vas-y, fais-le maintenant. Fais-le bien cette fois-ci. »

5. Recherchez le happy end. La beauté de cette forme de négociation, c'est que la solution est trouvée. On y passe du temps la première fois, mais la question ne se pose plus jamais (ou seulement une ou deux fois !). On sait que ça a bien marché parce qu'à la fin, on se sent mieux, et l'enfant aussi. Tout le monde a sauvé la mise.

Une approche toute nouvelle

Voilà une forme de discipline très différente de celle qu'on appliquait autrefois. Quand ils se rappellent leur enfance, beaucoup d'entre nous associent la discipline à un sentiment de malaise. Depuis toujours, l'histoire du « parentage » est ponctuée de cruauté et de détresse enfantine. Beaucoup de parents d'autrefois n'avaient guère de savoir-faire éducatif et se contentaient souvent de reproduire ce qu'on leur avait fait subir, même s'ils en avaient beaucoup souffert.

Une fois cette nouvelle forme de discipline bien comprise, il n'est plus besoin de recourir à la souffrance, à la honte ou à la peur. Les techniques d'amour-fermeté sont une petite révolution qui se répand à travers le monde. Il y a toujours eu de bons parents qui surent intuitivement trouver ces méthodes, mais elles furent rarement exposées clairement dans le but d'être appliquées.

Les techniques d'amour-fermeté sont respectueuses des enfants, non violentes ; en revanche, elles mettent clairement les parents en face de leurs responsabilités. Nous pensons que cette approche peut révolutionner l'éducation des enfants, la rendre plus facile et bien plus agréable à vivre, et qu'elle peut permettre de « fabriquer » de jeunes adultes solides, aimants et confiants.

Trois astuces pour obtenir la coopération de l'enfant

Beaucoup d'affrontements pourraient être évités. En se projetant dans le futur immédiat, on peut aisément empêcher une situation d'atteindre le stade de l'affrontement. Au début, avec un tout-petit, il vous faudra peut-être appliquer la « réflexion à l'écart » une bonne douzaine de fois par jour. Mais il apprendra vite à réagir aux mises en garde précoces, ou au comptage : 1, 2, 3. Les parents expérimentés savent qu'ils peuvent éviter bien des problèmes en étant un peu préventifs, ou les détourner s'ils surviennent ; les affrontements se réduisent alors à un minimum gérable. Cela signifie que quand votre enfant atteint les trois-quatre ans, vous pouvez réserver votre savoir-faire d'amour-fermeté et votre énergie pour les fois – une ou deux par jour – où un enseignement important est en jeu. Voici trois façons d'éviter les problèmes – du moins une partie du temps.

Prévenir

Beaucoup de problèmes d'enfant sont dus au stress, au surmenage et à la faim.

Veillez à ce que vous-même et votre enfant ayez bien mangé avant de sortir ; faites des pauses à intervalles réguliers pour un en-cas. Évitez les aliments trop riches en sucre ou en colorants, sauf petit plaisir exceptionnel ou après un repas correct. La plupart des enfants deviennent agités, plus difficiles à tenir après un excès de sucreries.

Prévoyez le temps nécessaire à vos activités et laissez de côté les choses non essentielles de manière à n'être ni stressé ni victime d'une course contre la montre. C'est important de se simplifier la vie quand on élève des tout-petits. Subitement, une petite chose va vous demander beaucoup plus de temps que d'habitude : préservez votre qualité de vie et offrez-vous du temps.

Rythmez agréablement votre journée, émaillez-la de rituels pour que les enfants s'habituent à une certaine routine. Quand ils se préparent pour l'école ou la garderie, demandez-leur de s'habiller avant de prendre leur petit déjeuner. Cela évitera retards et tracasseries autour de l'habillage : l'enfant qui a faim s'habille rapidement, sans faire d'histoires. Il existe une formule simple pour qu'ils prennent un bon petit déjeuner : la veille, donnez-leur un dîner léger. Ils se lèveront affamés !

Faites du temps passé à la maison un moment de joie. Amusez-vous en exécutant les tâches ordinaires. Passez de la musique rythmée en faisant le ménage. Mettez un bémol à vos rêves de perfection. Soyez un « plouc heureux ». Vous aurez vos petits à plein temps pendant deux à cinq ans, à mi-temps pendant une douzaine d'années au mieux. Pourquoi ne pas en profiter plus ?

Les tout-petits qui ne tiennent pas en place ont souvent davantage besoin d'activité physique. Notre monde moderne fait de jardins étriqués, de longs parcours en siège auto et de voisinages dangereux est responsable des deux tiers du problème. Bacs à sable, jeux d'eau, espaces pour courir et grimper : cela fait toute la différence. Un enfant bien fatigué est un enfant qui collabore sans problème.

Faire diversion

On peut éviter les ennuis en trouvant une meilleure solution, en proposant un accord, voire même en achetant la paix : « Je t'achèterai une glace, mais tu dois me donner un coup de main et t'asseoir dans le siège auto. » On peut proposer à l'enfant qui se bat avec un autre pour la possession d'un jouet d'en disposer plus longtemps s'il accepte de l'avoir en second. Les enfants peuvent apprendre à se servir d'un minuteur pour que chacun puisse prendre son tour et participer au jeu. Parfois c'est l'ennui qui est à la source du problème ; en introduisant un élément nouveau, on peut raviver leur intérêt et retrouver leur coopération.

Beaucoup de « bêtises » viennent du fait que l'enfant ne sait pas comment s'y prendre correctement. Soyez prêt à enseigner les gestes plutôt qu'à passer à l'attaque dès qu'il fait quelque chose de travers.

Imaginez par exemple deux familles en train de pique-niquer sur une plage. Le garçon de huit ans s'empare des trois derniers morceaux de poulet à pleines mains. Le parent numéro un beugle : « Dégage, espèce de morfal ! » et le menace avec une cuillère. Nature, mais peu susceptible de modifier le comportement de l'enfant. Le parent numéro deux dit : « Attends, tu n'as pas demandé si quelqu'un d'autre en voulait. Je propose que tu en prennes un morceau. Après, tu verras si tu peux avoir les autres. »

C'est vous qui devez apprendre à vos enfants à bien se comporter. Où voulez-vous qu'ils l'apprennent ailleurs ?

Prendre le taureau par les cornes

Si vous avez essayé toutes les méthodes décrites ci-dessus et que votre enfant pose toujours problème, cela peut vouloir dire qu'il recherche l'affrontement. Pourquoi ne pas le lui proposer ? L'enfant peut générer le conflit parce qu'il ressent au fond de lui le besoin de se heurter à des limites solides et rassurantes. Ou parce qu'il n'arrive pas à faire face, sans l'aide de notre autorité, au défi que représente pour lui le fait de partager, d'attendre, de ne pas frapper, etc. C'est à ce moment-là qu'il faut employer la « réflexion à l'écart ». Après tout, les petits ne mènent pas une vie si désagréable ; il n'est pas abusif de les faire collaborer de temps à autre, même contre leur gré.

Que le problème soit de partager les jouets, de se montrer gentil, de se servir de mots au lieu de coups, de patienter, de donner un coup de main, d'obéir en cas d'urgence, d'apprendre à participer à un jeu... la « réflexion à l'écart » suivie de la négociation aidera votre enfant à évacuer son impulsion première, à y réfléchir et à opter pour le comportement qui va fonctionner. Notre but n'est pas de « rabattre » leur conduite, mais de la rendre plus efficace.

« Bon, tu voulais jouer au même jeu que les autres ? – Ouais. – Alors tu leur as jeté des cailloux ? – Voui. – Est-ce que tu as remarqué que ça ne les a pas rendus plus sympas ? – Mmm ! »

DU POUPON À L'ENFANT CIVILISÉ :
TROIS ANS SEULEMENT !

Élever un petit enfant est plus facile quand on a un objectif en vue. Dites-vous que vous travaillez à produire, d'ici cinq ans à peu près, un petit garçon ou une petite fille civilisé(e), qui peut aller à l'école, rester chez des amis, se mêler sans accroc aux autres enfants et parler avec les adultes sans gêne réciproque. Il ou elle aura encore beaucoup de choses à apprendre, mais aura pris un bon départ.

Habitué à être le centre de l'univers exploré, le tout-petit exprime ses désirs sans aucun souci d'autrui. Cela convient pour un nourrisson :

« *Moi veux ! Veux maintenant ! Je suis le seul dont les besoins comptent. Tu le fais ou je cogne ! Je peux pas attendre ! Si tu me le donnes pas, je crie ! Je le fais tout de suite, je réfléchirai plus tard !* »

L'objectif de la discipline est d'amener l'enfant à adopter, vers cinq ans, avant l'école primaire, une attitude plus nuancée ; à s'affirmer tout en respectant les autres :

« *Je sais ce que je veux, ça, c'est O.K. Mais je ne peux pas toujours l'avoir. C'est vrai que j'ai déjà plein de bonnes choses. Les autres aussi existent. Ce n'est pas bien de frapper. Ce que je ressens est important, mais ce n'est pas la fin du monde. Si je réfléchis avant d'agir, ça marche mieux pour moi.* »

Ayez toujours en tête que votre enfant veut vraiment être gentil, amical, coopératif. Mais il a besoin d'aide pour savoir comment s'y prendre. Attendez-vous à devoir répéter de nombreuses fois, mais aussi à constater des progrès continus. Et entre deux confrontations, n'oubliez pas de beaucoup vous amuser et de vivre plein de bons moments.

Tous les petits sont difficiles à manier. Quand ils font preuve de résistance, on a peur de les « écraser » ; en revanche, il ne faut pas leur céder, sinon ils comprennent qu'ils peuvent avoir ce qu'ils veulent en faisant du cinéma. L'objectif est donc de persévérer, tout en gardant sa bonne humeur.

ADOPTER « L'AMOUR-FERMETÉ ATTITUDE »

De dix-huit mois à deux ans, l'amour-fermeté prend toute son importance. Le parent qui souhaite simplement que tout se passe gentiment et joyeusement peut être déconcerté par l'arrivée des « bêtises ». Votre bébé, petit paquet adorable, quoique fatigant, devient un véritable char d'assaut sur petites pattes.

Vous devez vous recentrer mentalement. Pour un parent de tout-petit, l'amour-fermeté suppose de prendre conscience qu'il vient de passer dix-huit mois à essayer de rendre son bébé heureux, mais que la situation est en train de s'inverser. Si vous faites bien votre métier, vous allez maintenant le rendre foncièrement malheureux, des dizaines de fois par jour au début, mais (c'est à espérer) pendant quelques minutes seulement.

En général, le petit vous « aide » à passer ce stade en choisissant de faire des bêtises vraiment impossibles à négliger, comme vider le réfrigérateur ou crapahuter dans les plantes vertes.

Vous aurez besoin de vous montrer dur en surface, détendu à l'intérieur. Ne le laissez pas penser qu'il est mignon quand il vous défie ou accumule délibérément les bêtises. Sinon, réparer les dégâts demandera des semaines. Changez de ton, prenez une mine sérieuse, mais réjouissez-vous intérieurement qu'il poursuive son apprentissage grâce à ce conflit.

> *L'amour-tendresse épanouit le cœur de l'enfant ; l'amour-fermeté lui donne une structure qui lui permettra, en grandissant, de se montrer solide et cohérent face au monde.*

ET SI JE CÉDAIS, JUSTE POUR AVOIR LA PAIX ?

Un jour, au supermarché, comme ma petite fille de deux ans faisait du cinéma, j'ai décidé de la laisser descendre du caddie pour circuler avec moi dans les allées. Grossière erreur ! Non seulement elle a fait la folle, mais lors des quatre sorties suivantes au supermarché, elle s'attendait à retrouver la même liberté ! Les tout-petits ont une mémoire d'éléphant.

Parfois, nous aimerions choisir la porte de sortie la plus proche. Mais alors l'enfant demande plus, chouine et râle encore plus. Mettez-vous à la place du petit de deux ans. Pendant sa première année, il a été le centre absolu de l'univers. Il a obtenu tout ce qu'il voulait. Désormais, ses désirs sont plus variés, plus extrêmes. Il ne veut pas seulement qu'on le nourrisse, qu'on le cajole et qu'on le change. Il veut faire enfiler votre caleçon au chien. Il veut faire un toboggan sur le sol de la salle de bains en mélangeant shampooing et après-shampooing. Il veut jouer au milieu des voitures. Vous devez l'en empêcher, ne serait-ce que pour son bien.

Et c'est pour son bien. Parce que c'est à cet âge-là qu'on prend une des plus grandes leçons de l'existence : on a beau être aimé et désiré, on n'est qu'une personne parmi beaucoup d'autres et il faut s'accorder aussi avec les autres.

Avoir des enfants agréables, étape par étape

Julie, qui participe à l'un de nos stages, déclare franchement : « Je n'aime pas les enfants. J'en ai trois, et au bout du compte je découvre que je n'aime pas les enfants ! » C'est un problème, parce que si Julie n'aime pas ses propres enfants, comment quelqu'un d'autre pourra-t-il les aimer ? C'est son travail de faire de ses enfants des individus aimables.

Pour l'aider, nous précisons un peu les choses. Qu'est-ce que chaque enfant devrait changer pour que Julie puisse l'apprécier ? Nous établissons une liste :

1. Son petit de deux ans doit cesser de frapper et de mordre.

2. Son petit de quatre ans doit cesser de chouiner et de se plaindre.

3. Son enfant de cinq ans doit apprendre à suivre les consignes qu'on lui donne dès la première demande.

L'amour-tendresse vient avant l'amour-fermeté. Nous remarquons que Julie est totalement épuisée, qu'elle aurait besoin d'un moment de détente pour elle-même, un jour par semaine, et de davantage d'aide de la part de son mari. Les deux parents décident de s'apporter mutuellement plus de soutien et d'attention. Ils vont s'entraîner ensemble à l'amour-fermeté de manière à pouvoir s'épauler. Pour y arriver, le papa va réduire son temps de travail de cinquante à quarante-cinq heures par semaine. Avec des enfants bien élevés, il sera heureux de passer plus de temps à la maison.

Quand, six mois plus tard, nous revoyons Julie, elle a l'air bien plus détendue et sereine. La tâche est encore lourde, mais Julie est moins exigeante envers elle-même et trouve qu'elle réussit beaucoup mieux avec ses enfants.

À QUEL ÂGE COMMENCE LA DISCIPLINE ?

Il est facile d'huiler les rouages de l'autorité quand on sait à quoi s'attendre et ce qui fonctionne aux différents âges.

Le bébé

Le petit Lucas n'a pas besoin de discipline. Il a quatre mois. Il ne sait pas encore ramper. Il sourit et joue avec son hochet ; il tire des objets à lui. Il pleure aussi, plusieurs fois par jour, parce que c'est un bébé normal et que c'est comme ça que les bébés normaux signalent leurs besoins. Ses besoins sont simples : il pleure quand il a faim, quand il se sent seul, quand sa couche est mouillée, s'il a mal au ventre et quand il s'ennuie. Cela fait beaucoup de pleurs, mais si papa et maman sont au point, ils devinent vite quel peut être son besoin et ils sont présents au premier cri pour y remédier.

Le papa de Lucas explique que, nourrisson, il leur demandait beaucoup : « Le plus dur, c'était de le rendormir. Il fallait que je l'emporte contre mon épaule pour le promener dans le quartier. Une fois, vers 4 h du matin, la police m'a interpellé parce que j'avais l'air d'un cambrioleur avec son butin. »

Un bébé peut demander beaucoup de travail, mais il ne fait pas de bêtises. Il essaie juste de vous faire comprendre ses besoins. Il n'a pas besoin de discipline, juste de beaucoup de compréhension. Et les parents ? Ils ont besoin de sommeil !

Le tout-petit

Les aptitudes du bébé se développent rapidement. Bientôt il rampe, puis il marche ; il attrape et tire les objets, mâchouille et tripote tout ce qu'il voit. Tout le tiers inférieur de votre maison devient son domaine. Il découvre aussi qu'il peut employer des mots pour que les choses arrivent : « Bibe'on ! » « Doudou ! » « Câlin ! »

Avec son nouveau savoir-faire et sa nouvelle mobilité, votre enfant commence à faire et à vouloir des choses que vous ne pouvez absolument pas lui permettre ni lui donner. Pour la première fois survient le « mauvais comportement ». Un petit bébé ne fait pas délibérément des bêtises, mais un tout-petit, c'est une autre affaire ! Votre bambin va se diriger vers l'endroit ou l'objet défendu et vous lancer un sourire qui signifie : « Alors, qu'est-ce que tu vas faire de ça ? » Vous dites : « Non ! » et il continue de sourire : « Ah ouais ? Arrête-moi, pour voir ! »

Le petit choisit précisément ce qui va vous mettre hors de vous parce qu'au fond de lui, il veut qu'on l'arrête. C'est un message inconscient qui signifie : « Maman, Papa, j'ai besoin de limites. S'il vous plaît, empêchez-moi de devenir marteau ! » (Les adolescents envoient aussi ce message ; nous le verrons quelques pages plus loin.)

Ce n'est pas de la rébellion pure, bien qu'il s'agisse en partie de rébellion. Un petit a parfois trop de mal à gérer les exigences de sa vie au jour le jour. Ou bien il est fatigué, ou bien il a faim : mieux vaut le coucher ou lui donner un en-cas, son humeur s'améliorera rapidement. Peut-être ne veut-il pas qu'on l'attache dans le siège auto pour aller faire les courses parce qu'il y a un jeu qui l'intéresse dans la cour ? Peut-être voudrait-il ramper sur la table pour aller goûter ce qui est dans l'assiette de son frère aîné ?

Le parent attentionné trouve toutes sortes d'astuces et cajole le petit pour qu'il suive le mouvement. La plupart du temps, il n'y a besoin de rien d'autre. Une fois, une maman m'a permis d'éviter un maximum d'ennuis en m'expliquant que si l'on donne à l'enfant quelque chose de très bon mais de très long à manger pendant qu'on fait les courses, il reste vingt minutes tranquille sur le caddie. Mais il n'empêche qu'il y aura toujours des moments où l'enfant sera confronté à la demande extérieure et devra obéir, « parce que je le dis ». À cet âge-là, l'amour-fermeté est vraiment à la fête.

Le jeune enfant

Quand l'enfant dépasse les trois-quatre ans, on a moins souvent besoin d'avoir recours à la « réflexion à l'écart » (ouf !). La plupart du temps, l'enfant négocie d'entrée de jeu avec vous. Écoutez sa version des faits, ce qu'il ressent, ce qu'il veut. C'est peut-être valable. Bien entendu, vous n'avez pas à lui faire faire des choses uniquement parce que vous avez envie d'avoir raison ! Il va apprendre qu'il a le droit d'avoir des sentiments et des envies, mais qu'il ne peut pas toujours avoir ce qu'il veut ; ou qu'il le peut, s'il s'y prend d'une manière plus acceptable. Cherchez toujours à découvrir le sentiment qui est à l'origine de son comportement négatif et utilisez l'amour-fermeté avec gentillesse, pour qu'il sache que vous voulez vraiment l'aider, pas le persécuter.

L'adolescent

Quoi qu'en pensent les gens, l'adolescent est en général un individu physiquement plaisant, coopératif et intéressant. Mais il a encore besoin de beaucoup d'investissement de la part de ses parents, ce qui entraîne de temps en temps des affrontements. Employer la force physique contre un adolescent est à proscrire, sauf si la situation est très grave et que vous avez le soutien d'un thérapeute. La « réflexion à l'écart » devient « on s'assoit et on discute ». Par exemple :

- *À quelle heure es-tu rentré hier soir ?*
- Euh… Vers une heure ?
- *C'est bien ce qui me semblait. Sur quelle heure on s'était mis d'accord pour que tu rentres ?*
- J'avais dit minuit, mais j'ai eu du mal à me faire raccompagner. Les autres voulaient rester.
- *Alors, tu n'as pas pu te faire raccompagner ? C'est ça qui t'a mis en retard ?*
- Ouais. Est-ce que je peux regarder la télé maintenant ?
- *Pas si vite. Comment ça se fait que tu m'as fait une promesse que tu ne pouvais pas tenir ?*
- Ben, je ne peux pas obliger les autres à me ramener !
- *Tu savais que cela pouvait arriver quand tu m'as fait la promesse ?*
- Ben, euh, je ne savais pas.
- *Alors tu t'es engagé sur quelque chose que tu ne maîtrisais pas vraiment.*
- Ben, euh, ouais, j'imagine.
- *Alors, comment on va faire pour les autres fois ? Tu veux continuer à sortir ?*
- Ben oui !
… etc.

À l'intérieur du cerveau d'un adolescent d'environ treize ans, tout est en train de se reconnecter. La puberté qui s'installe le rend semblable à un nouveau-né. Il devient distrait, désorganisé, un peu « à côté de ses pompes ». L'avantage, c'est que ces changements l'adoucissent. Un jeune de treize ans peut être confiant et affectueux. Cela peut être l'occasion de se rapprocher de lui et de renouer le lien, surtout si vous étiez très occupé, surmené, à l'époque où il était bébé.

Profitez-en, parce que les treize ans « bêtas » préfigurent souvent la tempête cyclonique des quatorze ans. Sur le plan des émotions, un jeune de quatorze ans peut être comme un petit de deux : il teste les limites, veut se battre avec vous et a besoin que vous luttiez en retour. La dernière chose à faire est de rester indifférent. Il veut son indépendance, mais il a besoin d'apprendre à être responsable et attentif : une période de pointe pour l'apport parental !

À quatorze ans, l'amour-fermeté entre à nouveau en scène, mais pour des motifs différents cette fois : l'heure de rentrée des sorties du soir, le rangement des vêtements, la préparation des repas, la tenue des engagements et le respect des accords. Les techniques d'amour-fermeté qu'on emploie avec l'adolescent sont différentes de celles utilisées avec le tout-petit, mais le principe reste le même. Vous pensez : « Je serai ferme avec toi pour te permettre de devenir une personne responsable, qui saura gérer la vraie vie. » Et vous dites : « La table n'est pas mise, pas de repas ! »

L'adolescence est un vaste sujet que nous ne faisons qu'effleurer dans ce livre. Mais il est évident qu'en faisant bien fonctionner l'amour-tendresse et l'amour-fermeté avec les tout-petits et les jeunes enfants, on obtient des bases solides pour gérer l'adolescence quand elle arrive.

LES QUESTIONS DES PARENTS SUR LA « RÉFLEXION À L'ÉCART » ET LA NÉGOCIATION

Q. Qu'en est-il de l'enfant qui n'a pas connu la discipline et fait un tas de bêtises ? J'ai essayé plein de choses et rien ne marche.

R. Si vous voulez appliquer la « réflexion à l'écart » avec un enfant qui désobéit beaucoup, attendez d'être bien prêt. Assurez-vous que c'est le bon jour, que quelqu'un est là pour vous aider et que vous êtes bien clair sur ce que vous voulez obtenir.

Quand (ou si) un problème survient, laissez à l'enfant une chance d'y remédier. S'il ne le fait pas, expliquez-lui qu'il va y avoir une autre façon de régler les problèmes. Marchez avec lui jusqu'au coin que vous avez choisi, et dites quelque chose du genre : « Tu as jeté le gâteau/frappé ta sœur, etc. Tu dois rester ici et réfléchir à ça. Pourquoi est-ce que tu l'as fait ? Pourquoi c'est un problème ? Qu'est-ce que tu peux faire pour arranger ça ? » S'il essaie de partir, vous le maintenez fermement mais de manière rassurante, sans lui faire mal.

Attendez-vous à pas mal de cirque. Un enfant plus grand, qui a pris l'habitude de faire n'importe quoi, va le vivre comme un choc. Alors, restez fermement sur vos marques, en dépit de ses cris et de ses gesticulations.

Restez toujours ferme, sans lui faire de mal. Dites-lui : « Je te laisserai partir si tu te tiens tranquille », et faites-le immédiatement s'il obéit.

Faites les choses au plus simple. Arrangez-vous pour qu'il puisse gagner. La première fois, contentez-vous d'un petit progrès ; un rapide « pardon » ou un effort symbolique suffira.

Il va se calmer.

Il va coopérer.

Il va recevoir des compliments pour sa nouvelle attitude.

Et après, vous irez vous allonger un peu si vous en ressentez le besoin !

La fois suivante, tout sera bien plus facile. Bientôt, il va abandonner ses comportements pénibles ; il n'aura guère besoin de plus d'une mise en garde pour réfléchir à ce qu'il a fait, et y remédier.

Q. *Dois-je rester pour le tenir dans le coin de réflexion s'il ne veut pas y rester ?*

R. S'il est petit (dix-huit mois à deux ans), permettez-lui de s'allonger ou de s'asseoir, tant qu'il reste tranquille. Restez à proximité, rattrapez-le s'il essaie de « s'échapper » et remettez-le dans le coin. Cela ne sera sans doute nécessaire qu'une ou deux fois. Quand il sera prêt à discuter, demandez-lui de se lever et de se tourner vers vous pour vous parler. Un enfant plus grand devra rester tranquille, face au mur, mais sans s'y appuyer. Cela aide physiquement l'enfant à concentrer son attention sur la chose à laquelle il doit réfléchir. Il ne se tortille pas autour de la tâche que vous lui avez assignée, mais se dresse littéralement face à elle. Expliquez-lui que c'est seulement à partir du moment où il prendra cette attitude que vous accepterez de discuter.

Q. *À quel âge peut-on appliquer cette méthode ?*

R. Il faut, pour l'appliquer, que sa compréhension et son langage soient suffisamment développés. S'il sait dire « Pardon », « Pas taper » ou « Laisser télé », c'est bon. Dites-lui qu'il peut sortir du coin et se mettre à faire quelque chose d'agréable. Vous pouvez le cajoler et le calmer, mais n'en faites pas tout un plat. Le but, c'est de passer à autre chose et de reprendre une vie normale.

Avant que l'enfant ne dispose du langage, on doit recourir à des techniques plus « bébé », comme faire diversion.

Q. *Pourquoi rester debout, et pourquoi un coin ?*

R. Pour des raisons simples. Cela coupe des autres distractions et aide l'enfant à concentrer son attention. On s'ennuie quand on regarde le mur. Les jambes fatiguent après une minute de station debout immobile. Le but n'est pas d'être pénible ou gênant. Il s'agit que l'enfant soit motivé pour résoudre le problème et sortir de là. Dites-lui : « Tu n'as pas à te sentir vilain, tu es juste là pour réfléchir à ce que tu aurais dû faire. Dès que tu auras trouvé, on en discutera et tu pourras sortir. »

Quand on n'est pas chez soi, ou quand l'enfant a pris l'habitude de se tenir tranquille au coin quand on le lui dit, on peut se passer de mur ou de coin. Il suffit de dire : « Reste là et réfléchis » dans n'importe quel endroit de son choix.

Q. *Mon enfant dit qu'il regrette, et puis il recommence tout de suite.*

R. Plus il grandit, plus il vous teste ! C'est un signe d'intelligence. Attendez-vous aux excuses suivantes :

• *Je ne peux pas rester. Je dois aller faire pipi.*

• *Tu ne me comprends pas.*

• *Tu ne m'aimes pas.*

• *Je ne me souviens plus.*

Ne vous laissez pas berner. Avant de le laisser s'en aller, l'enfant doit vous avoir convaincu qu'il regrette sincèrement et qu'il va vraiment changer. En observant son langage corporel et en étant très attentif au cours de la conversation/négociation, vous saurez s'il est sincère.

Q. Est-ce que cette technique peut s'utiliser à l'école ?

R. Oui, mais à condition d'y apporter de nombreuses modifications. Rester au coin serait humiliant devant d'autres enfants, autrement qu'en famille avec ses frères et sœurs. De nombreuses écoles primaires utilisent aujourd'hui le « lieu de réflexion » : une chaise, un tapis, un tabouret ou un pouf. Ce lieu n'est pas dans un endroit exposé et n'a pas été baptisé d'un nom infamant, genre « chaise du vilain ». On s'en sert également pour retirer un enfant de l'action, lui donner du temps et de la motivation pour réfléchir et le garder à proximité pour voir, grâce au langage corporel, s'il est prêt à « négocier ».

Un instituteur ou le directeur doit toujours venir négocier assez rapidement. L'enfant n'est pas là pour purger une peine. L'enfant turbulent a vraiment besoin de notre attention, alors il faut la lui donner en discutant de ce qui est arrivé. Et se rappeler aussi de lui accorder de l'attention quand il fait quelque chose de bien !

Souvent, à l'école, une discussion « tour de table » peut s'organiser avec les enfants à problèmes, sur un tapis, ou à une table. Savoir résoudre ses problèmes est aussi important que savoir lire, écrire et compter.

ET LES ANCIENNES MÉTHODES DE DISCIPLINE ?

Les techniques d'éducation ont progressivement évolué pendant les cinquante dernières années.

Frapper, faire mal

C'était la vieille manière. Cela rendait les enfants craintifs, altérait toute relation aimante et apprenait aux enfants que frapper était une bonne méthode à condition d'être le plus fort. Les enfants battus devenaient peureux ou étaient « cassés » ; ou bien, encore plus en colère, ils retournaient les coups. Parfois, devenus adultes, leurs propres enfants, leurs femmes ou d'autres faisaient les frais de cette colère, accumulée dans leur corps. Les méthodes violentes causent des dommages et ne présentent aucun avantage. La loi les réprime dans certains pays.

Faire honte, blâmer

Dans les années 1950, les parents ont commencé à rejeter, à juste titre, les châtiments corporels. Mais ils ne disposaient pas d'autres outils pour les remplacer et avaient peu de talents de communication. Alors ils utilisaient souvent la honte, la crainte, le blâme, traitant leurs enfants de bons à rien et de bien d'autres choses. Résultat : des personnalités endommagées et des esprits meurtris. Faire honte et blâmer conduisent souvent à l'échec en matière d'éducation parce que les enfants deviennent ce qu'on leur reproche d'être : paresseux, stupide, égoïste, trop gros, etc. Les enfants ainsi humiliés ont le choix entre deux attitudes : se sentir coupables et devenir dépressifs, ou être furieux et se rebeller.

Les récompenses et la gestion des conséquences

Exemple probant de la récompense : les bons points. On gratifie l'enfant de points pour son bon comportement. En général on les additionne et on les échange contre un petit cadeau en fin de semaine ou quand ils atteignent un certain nombre. Ce système peut bien fonctionner parce qu'il pousse les parents à se concentrer sur ce qui est positif ; il les aide aussi à prendre en compte de petits objectifs. Avec certains enfants, cela peut faire toute la différence.

De l'argent de poche en petite quantité en échange de petites tâches que l'on doit accomplir parce qu'on fait partie de la famille, et de l'argent supplémentaire pour certaines autres besognes : ce mélange devoirs/récompenses fonctionne bien dans nombre de familles parce qu'il ressemble beaucoup à la vraie vie.

Le système des conséquences naturelles fonctionne de la même manière : on laisse l'enfant gérer le problème qu'il a créé. Il change les draps qu'il a mouillés ; il assume s'il arrive en retard à l'école, etc. En grandissant, l'enfant devient de plus en plus apte à tirer des enseignements de ses actes. Il est important que les parents le laissent se débrouiller. Bien entendu, s'appuyer sur les conséquences de manière systématique serait excessif : le laisser s'échapper sur la route pour voir ce que cela donnera n'est pas une bonne idée.

Le renvoi dans la chambre

Les spécialistes du « parentage » recommandent de plus en plus cette méthode qui consiste à envoyer l'enfant se calmer dans sa chambre, pendant cinq minutes en général. Je pense que cette technique a, au sens littéral, sauvé la vie de nombreux enfants en donnant aux parents le temps de se calmer. C'est une stratégie pour s'en sortir ; tout le monde peut la trouver salutaire à un moment ou un autre. Je l'utilise moi-même avec les tout-petits quand je suis irrité et contrarié et que je veux juste avoir la paix cinq minutes. Mais ce n'est pas une technique de discipline en soi parce qu'elle ne comporte ni enseignement ni réflexion sur ce qui doit changer.

Voici ce que disent les parents de cette méthode : « Ça ne marche pas parce que ma fille s'amuse dans sa chambre, elle y a tous ses jouets ! » Ou bien « Il démolit la chambre, casse des objets, parfois il sort par la fenêtre ! »

Ou bien encore « Ça marche bien pour moi, ça me permet surtout de lâcher de la vapeur. Mais ça ne change pas toujours son comportement. Souvent, elle recommence moins de dix minutes après ! »

Quelles sont les principales différences entre le « renvoi dans la chambre » et la « réflexion à l'écart » :

1. *La « réflexion à l'écart » est plus rapide. Quand l'enfant est dans un coin de la pièce et que vous vous y tenez également, vous êtes en mesure de savoir immédiatement, à son comportement, s'il a fini de réfléchir. Cela aide à trouver rapidement une solution.*

2. *La « réflexion à l'écart » n'offre aucune distraction. L'enfant reste immobile jusqu'à ce qu'il ait fourni la réflexion nécessaire. C'est l'enfant qui conserve la charge du problème.*

3. *La « réflexion à l'écart » n'est pas une punition. C'est un moment de réflexion et d'enseignement. Elle ne génère pas de ressentiment. L'enfant peut mettre fin à l'épisode en coopérant au moment où il le souhaite ; en général, il se libère au bout d'une minute ou deux.*

4. *La négociation crée de la proximité, pas de la distance. Les enfants turbulents n'ont pas besoin d'être isolés, ils ont souvent besoin de contacts plus intenses. La négociation est la preuve que vous faites attention à lui et que vous voulez l'aider à résoudre ses problèmes.*

Nous vous recommandons le renvoi dans la chambre si vous sentez que vous risquez de frapper votre enfant, ou si vous avez vraiment besoin d'une pause. Cette technique peut d'ailleurs être utilisée sur le mode préventif : « Maintenant, j'aimerais que nous nous calmions un peu tous les deux. S'il te plaît, va dans ta chambre et joue tranquillement. » Peut-être souhaiterez-vous entamer une négociation après ; ainsi, vous vous assurerez que quelque chose a été modifié.

AIDER LES PLUS GRANDS À FAIRE UN CHOIX MORAL

Pour les jeunes, certains choix de comportement ne relèvent pas tant de la discipline que d'un système de valeurs. Vous aimeriez que votre enfant opte de lui-même pour la bonne attitude. Vous ne pouvez pas contraindre vos enfants à reprendre à leur compte vos propres valeurs. Mais vous pouvez les aider à bien percevoir tous les aspects de leur comportement. Ainsi, ils finiront par choisir la bonne attitude en votre absence parce qu'ils seront convaincus que c'est la bonne.

Sarah, neuf ans, est invitée à une fête et à dormir chez une amie. Elle accepte avec plaisir. Son amie, une fille plutôt timide, est ravie que Sarah ait accepté. Elles ne seront que quatre.

Mais Sarah est aussi invitée par une autre amie à un week-end de camping. À la même date que la première fête… Sarah préfère franchement l'idée du camping, mais cela suppose de rompre son premier engagement.

Ses parents ne la forcent pas à tenir son premier engagement. Tout ce qu'ils y gagneraient, c'est une séance de bouderie. Mais ils discutent avec elle des deux aspects du problème :

1. Ménager la susceptibilité d'une amie.

2. Tenir ses engagements.

Ce sont des principes importants. Les parents de Sarah mettent gentiment en avant que « on m'a proposé quelque chose de mieux » n'est pas une bonne excuse et va décevoir quelqu'un qui comptait sur elle. Ils disent aussi que la décision revient entièrement à Sarah, et qu'ils ne vont pas faire pression sur elle quand elle l'aura prise. Sarah décline avec regret l'offre du camping. Elle s'amuse bien à la fête de son amie. Ses parents sont fiers de leur fille qui a fait preuve de caractère.

Les enfants et les adolescents ne prennent pas toujours la décision que vous auriez souhaitée. Mais commettre des erreurs fait aussi partie de l'apprentissage. Et une toute petite possibilité demeure : que vous vous trompiez et qu'ils aient raison… Voilà de quoi vous tranquilliser !

EST-CE QU'IL FAUT TAPER ?
UNE DÉCISION GRAVE POUR TOUS LES PARENTS

La nuit tombe et la circulation encombre la nationale. Sur le trottoir, les gens se pressent. Une pluie fine commence à tomber. Soudain, je perçois les cris d'un tout-petit. Devant un magasin, une jeune maman discute dans un téléphone public, essayant en même temps de contrôler son tout-petit qui veut courir jouer au bord du caniveau, où l'eau de pluie éclabousse et bouillonne. Mais les voitures et les poids lourds passent dangereusement près. L'énervement de la mère est palpable : entre deux mots furieux à son correspondant, elle hurle à son fils : « Je vais t'apprendre à te tenir ! » Il chouine et se débat pour se libérer. C'en est trop. Elle lâche le combiné, attrape le col du petit ciré et frappe son fils d'un violent revers au visage.

Le regard a changé

Il y a quarante ou cinquante ans, c'était banal et quotidien de voir des adultes frapper des enfants. Ils le faisaient publiquement et personne ne s'en souciait le moins du monde. L'attitude envers les châtiments corporels sur les enfants ou envers les hommes qui battent leur femme a beaucoup changé. Aujourd'hui, une ecchymose sur un enfant relève de la police. Quatre-vingts pour cent des parents disent qu'ils donnent occasionnellement une tape à leur enfant, mais la plupart préféreraient ne pas le faire.

Néanmoins, ils sont encore nombreux, souvent des hommes, à déclarer qu'une tape est un moyen d'obtenir un résultat rapide. L'heure est peut-être venue pour nous de faire un choix personnel sur ce qui touche nos enfants, d'autant plus qu'aujourd'hui, d'autres formes de discipline sont proposées. Nous pensons que si les parents connaissaient ces autres techniques, ils ne donneraient plus jamais de claques.

Battre ou donner une tape à un enfant, est-ce la même chose ? Est-ce qu'une tape n'est pas un petit peu de discipline nécessaire ? Souvent, quand je fais une conférence sur la discipline, quelqu'un vient me voir pour dire : « J'ai reçu plein de corrections quand j'étais petit et ça ne m'a jamais fait de mal ! » Ce que j'en devine (inspiré notamment par la passion même avec laquelle ces personnes s'expriment), c'est que ça leur a réellement fait mal et que ça les fait toujours souffrir. Contre l'humiliation, la première défense de l'enfant est de prétendre qu'on ne lui a pas fait mal. Et la colère qu'il garde à l'intérieur ressort un jour, d'une manière ou d'une autre.

Il serait temps de nous montrer plus honnêtes à ce sujet. Du point de vue de l'enfant, la tape fait peur et humilie. Du point de vue du parent, elle comporte un risque. Un risque, parce qu'il n'existe pas de limite précise où la tape devient un coup et où le coup devient défoulement, par la violence, de la frustration du parent. Comment doser ? Pouvons-nous honnêtement dire quand nous frappons l'enfant « pour son bien » et quand c'est juste pour nous sentir mieux ? Ne serait-ce pas une vengeance ? Pouvons-nous honnêtement affirmer que nous sommes juste en colère contre l'enfant, et pas contre un amalgame de causes multiples ?

Le bilan final c'est que frapper, ça ne marche pas, sauf à très court terme. Chaque coup entame le capital d'amour et de confiance de l'enfant qui peut devenir encore plus difficile. J'ai vu beaucoup d'enfants clamer avec défi : « Même pas mal ! M'est égal ! », apprenant ainsi à se blinder contre les coups. De toute évidence, un parent qui frappe son enfant dans la rue ou au supermarché perd le contrôle de son enfant, ne le gagne pas !

Pourquoi les parents frappent-ils leurs enfants ?

La vérité c'est que nous frappons les enfants pour satisfaire nos propres besoins. Nous avons peur de perdre le contrôle sur eux. Ou, c'est souvent le cas avec les plus jeunes, parce que notre « capacité maternante » est épuisée. Nous sommes crevés, en manque de sommeil, nous n'avons jamais un moment à nous. La tape n'est que le reflet de notre moi intérieur qui se signale à son tour : « moi aussi, j'ai des besoins ». Enfin, il peut s'agir aussi d'un réflexe d'autodéfense : il vous a planté un doigt dans l'œil pendant que vous l'installiez dans le siège auto ou vous a cogné avec sa cuillère alors que vous attachiez son bavoir !

À cet âge, le petit ne comprend (ou ne remarque) pas toujours nos sentiments ou nos paroles. Mais nous, nous ressentons l'impérieuse nécessité de marquer le coup, pour agir sur son comportement. Alors taper ou frapper pour « obtenir son attention » est une tentation naturelle. Il faut y résister ; nous le pouvons en améliorant nos savoir-faire en communication avec les enfants, en apprenant le « passage de messages ».

Certains défenseurs de la tape sont des personnes indulgentes et attentives. Elles disent souvent que si l'enfant n'est pas contrôlé tout jeune par une tape légère, il deviendra plus insupportable encore, jusqu'à ce que le parent perde patience et le batte pour de bon. Leur théorie c'est que les petits coups préviennent les grands. Pourtant, l'expérience m'a montré que les parents qui infligent des punitions légères en donnent aussi de lourdes : très vite, les petites tapes ne suffisent pas. Emplis de ressentiment, les enfants frappent leurs propres frères et sœurs, ou rendent les coups aux parents. Il est important de tracer une frontière, et la seule frontière réaliste est le point zéro. Si l'on prend la décision de ne *jamais* frapper ses enfants, comme je l'ai fait moi-même ainsi que de nombreux parents, alors, on est obligé de recourir à des méthodes plus satisfaisantes.

La discipline sans les coups

Oui, nous devons imposer une discipline aux enfants. Et avec les tout-petits, la parole seule ne suffit pas. Il est parfois nécessaire de maintenir et d'immobiliser un petit enfant pour l'aider à se calmer et à bien se comporter. Cela peut se faire sans aucun risque. Des milliers de parents ont adopté la technique de la « réflexion à l'écart », avec succès. Il s'agit d'entraîner votre enfant, au fur et à mesure qu'il grandit. Et bien sûr, on rencontrera toujours des situations impossibles (dans la rue, sous la pluie !) où la seule solution sera de prendre l'enfant dans ses bras et de l'emporter. Garder son sens de l'humour est vital. On a de la chance que les tout-petits soient si... petits : ils sont portatifs !

À l'adolescence, on ne devrait plus avoir recours à la crainte ou à l'intimidation. Si les jeunes fuguent ou vous défient violemment, c'est presque toujours parce que la communication a été coupée des années auparavant, et que les parents ont utilisé le mode agressif plutôt qu'un mélange d'amour et de fermeté.

Beaucoup de gens ont relégué au fond de leur mémoire la souffrance qu'ils ont ressentie dans leur jeunesse et infligent cette même souffrance à leurs enfants. En tant que conseiller, je sais bien quelle dose de souffrance est en jeu. J'ai vu trop de gens, les larmes aux yeux, me raconter leur humiliation et leur peur quand un parent sortait de ses gonds. Mes patients me montrent sur leurs jambes des capillaires rompus, souvenir de « tapes » reçues dans l'enfance. Les coiffeurs me racontent que beaucoup de leurs clients ont sur le cuir chevelu des indentations, des zones chauves et des cicatrices provenant de coups qu'ils ont reçus sur la tête quand ils étaient petits. À l'intérieur, les cicatrices sont encore béantes. Si un enfant ne se sent pas en sécurité et protégé avec ses propres parents, comment pourrait-il se sentir en sécurité dans la vie ?

Il y a une autre raison de ne pas frapper les enfants. On sait aujourd'hui que les enfants qui se sentent en sécurité avec leurs parents sauront leur dire si quelque chose ne va pas ; s'ils ont subi une agression sexuelle par exemple. Si les parents utilisent la honte et la crainte de façon routinière, comme outils disciplinaires, les enfants ne se sentiront pas en confiance pour raconter leur problème, craignant qu'on leur en attribue la faute. Aussi, les enfants que leurs parents n'effraient jamais, qui ne leur font jamais de mal, considéreront toujours leurs parents comme étant essentiellement protecteurs. Ils se sentiront plus en confiance pour crier : « Je vais leur dire ! » et éviter d'entrée de jeu les agressions.

Prendre la décision

Nous pensons qu'il est temps pour nous, les parents, d'abandonner les châtiments corporels comme méthode pour contrôler les enfants.

Faire le premier pas, c'est facile. Vous prenez l'engagement personnel de ne jamais plus frapper un enfant. Vous vous mettez immédiatement en quête de techniques de discipline efficaces et non violentes. De telles méthodes existent et il est possible de les acquérir.

Quand nous avons élevé notre premier enfant, il nous est arrivé de lui donner de petites tapes lorsqu'il avait certains comportements, par exemple quand il touchait au radiateur. Doué d'une certaine force de caractère, notre fils n'en était pas impressionné et avait pris l'habitude de refaire le même geste. L'idée de le faire pleurer nous rendait malheureux et nous nous rendions compte aussi que nous ne lui apprenions pas grand-chose. Alors nous avons cherché d'autres solutions. Nous avons découvert que certains parents ne frappaient jamais leurs enfants et qu'il existait des pays où frapper un enfant était interdit par la loi. Nous avons aussi appris les techniques de discipline claires et fermes, exposées dans ce livre, que des milliers de parents dans le monde utilisaient déjà, et nous avons commencé à les appliquer chez nous. Nous sommes réellement contents d'avoir pu trouver une meilleure solution.

Tous, nous désirons vivre dans un monde en paix, où les conflits se régleraient de façon non violente. Autant commencer par le commencement ! Si nous sommes incapables de le faire à la maison, comment pourrions-nous y parvenir au Moyen-Orient.

Si vous approuvez ce principe, vous pouvez prendre aussi cet engagement. Votre enfant saura, au fond de lui, que son père et sa mère ne lui feront jamais physiquement mal. Il sera en sécurité dans sa propre maison. Quelle belle façon de vivre !

CONCLUSION

En utilisant les techniques d'amour-fermeté, vous êtes deux fois gagnant : vous abandonnez tapes et blâmes, qui au fond ne réjouissent personne, et vous vivez dans un foyer où les adultes tiennent les rênes et où les enfants font ce qu'on leur demande quand c'est nécessaire. Votre enfant va rester normal : à deux ans, il vous donnera toujours du fil à retordre ; à quatorze, il sera toujours cyclonique. Mais en sachant comment réagir, vous ferez face à ces étapes en confiance et en toute transparence et profiterez ensuite des moments agréables et joyeux de la vie de famille.

Souvenez-vous : faites toujours – et seulement – ce qui marche le mieux pour vous. La « réflexion à l'écart » et la négociation ne sont que deux cordes supplémentaires à votre arc. Mais comme le raconte cette lettre envoyée par une famille, elles peuvent changer bien des choses :

Chers Steve et Shaaron,

Nous avons assisté à votre séminaire d'octobre et participé avec beaucoup de plaisir à tous les travaux. J'ai gardé contact avec une autre maman que j'y ai rencontrée.

Votre séminaire a eu lieu au bon moment parce que nous ne voulions pas frapper notre fils Gary, mais ne savions pas quoi faire. Maintenant, Gary (vingt-huit mois) se tient debout dans « son coin » et dit : « Je réfléchis. » Dans nos yeux, les larmes sont de joie tellement il est mignon !

Marion et David

4

Qui va réellement élever vos enfants ?

Les modes de garde à l'étude

Il est 9 h 30. Le téléphone sonne. Au bout du fil, une jeune avocate que je connais à peine. Elle est en pleurs. Pour la première fois, elle vient de laisser son fils de quatre mois à la crèche ; elle est à son bureau, c'est son premier jour de reprise du travail.

Quand elle l'a laissé, le bébé pleurait désespérément et cela l'a angoissée. Elle n'arrive pas à se concentrer sur son travail. Elle ne pense qu'à son bébé qui n'a presque jamais été séparé d'elle depuis sa naissance. Que doit-elle faire ?

Faire ce que votre cœur vous dit de faire

Beaucoup diraient à cette jeune femme qui reprend le travail : « Où est le problème ? Le petit va vite s'habituer. » Mais oui, cela arrive aussi lors de leur premier jour de maternelle ; ils s'en remettent vite et s'habituent à l'école avec plaisir. Pourquoi ne pas chasser ce souci de son esprit et se concentrer sur son travail et ses collègues de bureau ?

Au fil de la conversation, je me rends compte qu'il ne s'agit pas seulement d'un problème de séparation et de pleurs. Cette jeune femme vit un conflit intérieur par rapport à sa reprise du travail.

Nous discutons des pressions qu'elle subit en essayant de faire la part de ses sentiments personnels et des désirs des personnes qui l'entourent. Beaucoup de ses amies ont mis leurs bébés en crèche et travaillent. Son mari désire qu'elle reprenne le travail : ses revenus seront bienvenus. Son employeur souhaite qu'elle reprenne ; elle n'a été absente au total que cinq mois.

Mais en l'écoutant parler, je vois bien qu'elle n'est pas heureuse. Ce qu'elle voudrait, c'est rester avec son enfant. Petit à petit, elle décide de prendre de nouvelles décisions. Elle va prendre rendez-vous avec son patron et lui expliquer qu'elle a changé de projet ; lui présenter ses excuses et le remercier de se montrer compréhensif.

En négociant avec son chef, elle obtient une année de congé parental supplémentaire, et la possibilité de revenir ensuite à temps partiel seulement. Elle a la chance d'être une professionnelle qualifiée et d'avoir un conjoint qui peut subvenir aux besoins de la famille. Il lui est donc possible de faire ce choix. Elle est terriblement soulagée d'avoir écouté ce que son cœur lui dictait, et pas les « tu devrais » plaqués sur elle par son entourage et la société en général.

LA GARDE DES ENFANTS,
UNE INVENTION RÉCENTE

Depuis la nuit des temps, la plupart des enfants étaient élevés à proximité de leur foyer, grâce à la collaboration de leurs parents et de leur famille proche, dans le cadre d'un village ou d'un quartier. Ainsi, la tâche (et le plaisir) d'élever les petits était partagée entre des personnes qui les aimaient. Même aujourd'hui, dans le monde non industrialisé, enfants et adultes passent la journée ensemble. On voit les mères travailler avec leur petit sur le dos, les jeunes enfants accompagner les hommes au travail dans les champs. Ce n'est que dans le monde occidental que nous enfermons les enfants (et les personnes âgées) à l'écart du cours de la vie.

Il y a un siècle, les hommes travaillaient majoritairement près de leur femme et de leur famille ; en Australie, 97 % des hommes se rendaient au travail à pied. Puis l'industrialisation a entraîné les hommes vers des emplois plus lointains, laissant à la maison des femmes et des enfants isolés, souffrant de solitude. Dans les années 1960, les femmes ont décidé qu'elles aussi voulaient travailler ; elles ont rejoint les hommes et déserté la maison.

Les bas salaires, les familles monoparentales et le chômage obligent de nombreuses femmes à travailler tout en élevant des enfants. En réponse, tout un éventail de modes de garde pour les enfants s'est rapidement développé. On parle aujourd'hui de « l'industrie » de la garde d'enfants. Trouver un mode de garde convenable est une préoccupation majeure pour de nombreux parents.

Les parents d'aujourd'hui disposent de solutions qui, autrefois, étaient le privilège des familles très aisées. On peut payer des professionnels pour s'occuper de nos enfants toute la journée. Une fois franchis les obstacles que constituent les listes d'attente, les traversées de la ville en voiture et l'exigence de qualité des soins, une fois obtenues les aides gouvernementales, on peut, encouragés par une puissante idéologie qui soutient notre droit à agir ainsi, faire garder nos enfants par de parfaits étrangers, de la naissance à l'âge adulte. Une fois scolarisés, ils peuvent bénéficier de l'étude avant et après la classe, de centres aérés pendant les vacances, de camps éducatifs le week-end. On est à peine obligés de les voir !

Nous savons qu'en Australie, 700 000 jeunes enfants sont placés dans un système de garde officiel ; ils seront nombreux à y passer quelque 12 000 heures avant d'atteindre l'âge scolaire[1].

LA DÉCISION NUMÉRO DEUX

Avoir un enfant est sans doute la plus grande décision que vous puissiez jamais prendre dans votre vie. Décider de la manière *dont vont être élevés* vos enfants vient en deuxième position. Nous employons le mot *élever* parce que les cinq premières années sont reconnues pour être la période de développement intellectuel et émotionnel maximal. L'enfant qui part en garde à deux ou trois mois et y reste sept à huit heures par jour passe en fin de compte son enfance en garde. Le genre de personne qu'il deviendra sera un amalgame fait de l'apport de nombreuses personnes aux styles et valeurs très différents : différentes façons de le rassurer, de lui enseigner la discipline et les valeurs, différents comportements qu'il intégrera. C'est certain, cet enfant sera adaptable ! Mais sera-t-il capable d'intimité ? Comment digérera-t-il tous ces messages ?

Les deux questions sont fondamentales : « avoir (ou pas) un enfant ? » et « qui va s'en occuper ? » sont intimement liés. Plus d'un directeur de crèche a soupiré en privé, après avoir subi les pressions de parents souhaitant laisser leur bébé de plus en plus jeune, de plus en plus d'heures : « Je ne sais vraiment pas pourquoi certains ont un bébé ! » Ils savent de quoi ils parlent, non ?

[1] Cinq ans en Australie.

LA CIVILISATION DU COUCOU

Ces dix dernières années, on a assisté au développement de la « civilisation du coucou ». La femelle coucou pond dans le nid des autres oiseaux pour qu'ils se chargent d'élever son petit à sa place. Les magazines féminins et les médias en général ont mis en avant et encouragé cette tendance, donnant de ce mode de vie une image idéale. Dans certains milieux, faire éduquer ses enfants par autrui est un signe extérieur de réussite, un objectif à atteindre.

Notre société idolâtre la « liberté », y compris celle de ne pas être embarrassé de ses enfants. À l'extrême, on trouve même des groupes humains où les enfants ne sont guère plus qu'un accessoire de mode, une vitrine que l'on sort pour les photos, puis que l'on réexpédie ailleurs pour que d'autres s'en occupent. « Avoir » des enfants est à la mode, mais pas forcément être encombrés par eux.

Nous autres humains sommes des créatures très conformistes. Parce que « tout le monde le fait », nous trouvons anodin, ou même profitable à l'enfant, de le mettre à la crèche. Cette décision importante est souvent influencée tout autant par la mode que par les nécessités de la vie.

La progression de ce « parentage à distance » est un phénomène inquiétant. Mais la grande majorité des parents ne sont pas comme ça. La plupart d'entre eux veulent vraiment élever leurs enfants, désirent réellement ce qui est meilleur pour eux et sont prêts, pour y parvenir, à mettre un frein à leurs ambitions de carrière ou à leurs appétits de loisirs et de vie sociale. On voit de plus en plus d'hommes, et même des personnages publics, prendre des décisions en faveur de leur vie familiale au préjudice de leur carrière.

Malheureusement, de nombreux parents se sentent contraints, pour des raisons économiques, de retourner travailler alors que leurs enfants sont petits. Ils le font le cœur lourd. D'autres sont aux prises avec le dilemme suivant : offrir à leurs enfants des jouets, une maison agréable, des études coûteuses, mais aussi passer du temps à leurs côtés. Quelle qu'en soit la raison, nous nous devons de connaître le coût réel d'une décision avant de la prendre.

CE QUE JE PENSE VRAIMENT

Au départ, j'avais prévu d'écrire ce chapitre en étudiant avec objectivité les différents modes de garde proposés aux parents. C'était plus sûr : résumer les arguments d'un débat long et difficile, et vous laisser tirer vos propres conclusions.

Mais je me suis vite rendu compte que le rédiger ainsi serait une erreur. En tant que parent, je ne prends pas mes décisions en observant les statistiques ou les études. Je les regarde, mais quand il s'agit de décider, je suis mon propre sentiment. Se fier à son intuition : voilà le cœur d'un bon « parentage ». Quelque chose me dit que vous, lecteur, préférez avoir mon opinion sincère plutôt qu'un rapport pseudo-scientifique dans lequel je ne prendrais aucun parti.

Je suis très inquiet de la façon dont de nombreux parents utilisent les modes de garde. Je suis convaincu que cela crée chez les tout-petits des dommages invisibles dans l'immédiat, mais d'une portée certaine à long terme.

Je ne suis pas le seul ! Le professeur Jay Belsky, sans doute le plus éminent spécialiste, affirme que les signes de ces dommages sont subtils… mais suffisants pour qu'en 1986 il révise totalement son opinion en faveur de la garde des enfants de moins de trois ans. Début 1994, le Dr Penelope Leach, auteur mondialement reconnu d'ouvrages sur le « parentage »[1], a soulevé une tempête en annonçant la même chose dans son ouvrage *Children First (Les enfants d'abord)*. Personnellement, j'ai toujours ressenti un certain

---

[1] Ouvrages traduits en français : *Les six premiers mois : accompagner son nouveau-né* et *Votre enfant, de la naissance à l'école*.

malaise autour de la présence de bébés et de tout-petits dans les crèches. Plus j'en ai parlé avec les gens – parents, éducateurs, adultes, qui se remémoraient leur petite enfance –, plus mon intime conviction s'est renforcée.

Je souligne que je ne suis pas en mesure d'apporter la preuve de ce que j'avance. La recherche n'a pas encore abouti. Mais comme tous les parents, je ne peux pas mettre la vie de mes enfants sur « Pause » en attendant les résultats. La seule chose que je puisse apporter, c'est mon point de vue personnel. Libre à vous d'être d'accord, pas d'accord, ou de laisser la question ouverte.

Je crois fermement que :

1. *Faire garder toute la journée un enfant de moins de trois ans dans une forme d'institution comme la crèche a pour résultat de produire un être humain sévèrement démuni de l'expérience de la petite enfance. Plus l'enfant y est placé jeune, plus il y passe d'heures par jour et plus ces manques seront graves.*

2. *Les difficultés et les manques vont se faire sentir au cours de sa vie dans de nombreux domaines, notamment ceux liés à la stabilité émotionnelle, aux relations d'intimité, à la confiance, à l'aptitude à se détendre, à l'élaboration d'une vie intérieure paisible. Ces manques seront masqués par un perfectionnement apparent des savoir-faire sociaux superficiels, lesquels reflètent en réalité les stratégies élaborées par l'enfant pour gérer l'environnement de la crèche.*

3. *À long terme, ces déficits vont entraîner des difficultés à créer et entretenir des relations durables. L'état général de santé physique et mentale de ces enfants est susceptible d'être affecté ; en grandissant, ils pourront avoir des difficultés à créer des liens avec leurs propres enfants et à en prendre soin.*

Pour faire court, je crois qu'à l'exception des parents qui présentent des manques graves ou qui s'avèrent réellement inaptes à l'éducation de leurs propres enfants, la meilleure solution est toujours, pour l'enfant, d'être élevé par une personne qui l'aime. C'est vrai, le professionnalisme du personnel et la richesse de l'environnement sont des points forts : mais ils ne sont pas du domaine de l'amour. On peut bien protéger le petit corps de l'enfant et occuper son jeune esprit, mais seule une personne liée à lui par un engagement puissant et à long terme peut répondre à ses besoins profonds plus subtils. Ce n'est pas quelque chose qu'on puisse acheter.

LES AVANTAGES DES SYSTÈMES DE GARDE

Les dangers des systèmes de garde que nous venons d'évoquer doivent être mis en parallèle avec leurs bénéfices. Pour tous ceux qui fréquentent des familles, il est évident que :

• Tous les parents ont besoin, par moments, de s'évader du cadre solitaire et peu naturel d'une vie seul(e), à la maison, en compagnie de petits enfants.

• Les femmes ont, autant que les hommes, le droit d'avoir et de poursuivre une carrière et d'être financièrement indépendantes.

• Les enfants placés en crèche apprennent, entre autres, à vivre en société ; la crèche apporte des richesses et des stimulations supplémentaires. Dans de nombreux cas ils apprécient et profitent du temps passé en crèche, chez l'assistante maternelle ou dans d'autres situations de garde.

• Certains parents sont si mal équipés (sur le plan matériel ou personnel) que les enfants sont plus en sécurité, plus heureux, et s'en sortent mieux de manière générale si des professionnels s'en occupent la majorité du temps.

Ces avantages sont très largement reconnus et acceptés.

REGARDER SANS CRAINTE LA VÉRITÉ EN FACE

Les bénéfices sont réels. Les aspects négatifs aussi. Pourtant, longtemps on a gommé le côté noir de peur de culpabiliser les parents, ou de déclencher une surveillance accrue, voire une remise en cause de « l'industrie » de la garde des enfants. Pour moi, le premier prétexte relève de la condescendance ; le second, de la malhonnêteté.

Avec de bonnes intentions – mais je crois qu'ils font fausse route –, les professionnels de la garde des enfants ont souvent tendance à protéger les parents de tout tracas. Un exemple : l'administration australienne a mené, avec l'aide de spécialistes, une vaste et longue campagne pour instaurer des normes nationales de modes de garde. Le secteur privé de la petite enfance s'y est vigoureusement opposé. Une porte-parole, favorable à l'instauration de normes plus strictes, aurait déclaré : « En mettant les projecteurs sur un cas où quarante-cinq enfants avaient été confiés à une fille de quinze ans sans formation, nous n'avions pas pour but de déclencher l'hystérie. » Louable intention, mais pourquoi considérerait-on les parents comme un groupe humain plus hystérique qu'un autre ? Les parents sont passionnément attentifs à ce que vivent leurs enfants. On doit les en informer.

Le choix de plus en plus fréquent de mettre les enfants en crèche est-il quelque chose de très grave ? Ou s'agit-il d'une remarquable avancée pour les parents, qui les libère pour leur permettre d'avoir une meilleure qualité de vie ? Sachant que nous ne sommes plus très nombreux à vivre auprès des grands-parents et de la famille (qui jouaient autrefois ce rôle), est-ce une aubaine pour les enfants de disposer de professionnels pour s'occuper d'eux au lieu d'amateurs comme Maman et Papa ? Ou est-ce que cela entraîne une perte grave de l'intimité et de la spécificité de la petite enfance ? En optant pour une voie médiane, les systèmes de garde peuvent-ils être utilisés de manière équilibrée pour stimuler et enrichir la petite enfance ? Quel que soit le regard qu'on lui porte, le boom des modes de garde est un fait social majeur et incontrôlable qui doit être examiné avec lucidité.

Dans ce chapitre, nous allons considérer les raisons pour lesquelles les personnes reprennent le travail avec des enfants encore petits ; et voir si elles sont réalistes. Nous essaierons de savoir si rester à la maison quelques années, jusqu'à ce que les enfants soient plus grands, est effectivement un projet cohérent qui apporte plus de bonheur.

Puis nous regarderons l'offre existante de systèmes de garde afin que vous puissiez choisir en connaissance de cause, lorsque vous en aurez vraiment besoin. Nous examinerons les dangers de ces systèmes pour que vous puissiez voir si votre enfant en souffre. Nous pensons qu'une fois armés de cette information, vous serez à même de faire le choix qui sera pour vous le meilleur.

« MAIS... SI JE N'AI PAS LE CHOIX ? »
LES MÈRES OBLIGÉES DE TRAVAILLER

Les mères isolées et de nombreuses mères dont le conjoint a des revenus modestes ou est au chômage n'ont pas d'autre choix que de travailler, même si elles préféreraient rester avec leurs enfants. C'est une tragédie. Nous proposons une solution au niveau national dans le chapitre sur le salaire parental.

Je crois que les enfants peuvent s'adapter à des contingences difficiles s'ils en comprennent la nécessité. Ils peuvent aussi sentir intuitivement la vérité. Si vos enfants ressentent que vous aimeriez mieux être avec eux, l'effet produit sur leur estime d'eux-mêmes n'est pas aussi néfaste que s'ils sentent que vous ne vous intéressez tout bonnement pas à eux et que vous préférez être ailleurs.

SAPER LA CONFIANCE DES JEUNES PARENTS

Les jeunes parents qui reprennent le travail avancent parfois l'argument suivant : ils ne sont pas doués en matière de « parentage », leur enfant s'en sortira mieux avec du personnel qualifié. Mais il n'est pas aussi simple d'être un « bon » ou un « mauvais » parent : très peu d'entre nous sont « bons » d'entrée de jeu. C'est grâce aux heures que vous allez passer avec votre enfant que vous deviendrez un bon parent pour cet enfant-là. C'est cela même qui construit *la relation*, par opposition au simple *service*.

Le fait de mettre votre enfant à la crèche peut vraiment saper votre confiance en vous. Parfois, les parents sentent que cela aggrave la situation. Ils perdent confiance, ils peuvent en venir à se sentir aliénés par rapport à leur enfant ; pas aussi aimants, ni aussi capables ou intéressants que l'assistante maternelle ou la puéricultrice. Plus ils ont l'impression que d'autres se débrouillent mieux avec leur bébé ou leur tout-petit, plus leur estime d'eux-mêmes décroît. Il est bien plus utile d'aider un parent, de lui enseigner des savoir-faire, de lui montrer des interactions plus positives, bref de s'occuper de lui, que de le court-circuiter et de s'occuper directement du bébé. Cette question est une question sensible.

Cohérence et stabilité, les deux pivots de l'univers du petit enfant, sont impossibles, semble-t-il, à obtenir avec un système de garde extérieur. Même un système de garde « de qualité » suppose que des personnes différentes, jusqu'à des dizaines, s'occupent de votre enfant dans les quelques années qui précèdent l'école. Dans les faits, il est bien difficile de conserver un lieu unique ; une étude récente montre que certaines familles doivent employer jusqu'à quatre systèmes différents pour couvrir les heures de garde sur une semaine normale. Une autre révèle de grandes disparités entre les différents centres d'accueil auxquels certains enfants doivent successivement s'adapter au cours d'une même journée.

TROUVER UN ÉQUILIBRE, PAS UN COMPROMIS

Vivre avec des tout-petits dans une maison ou un appartement isolé, en banlieue, peut être un bon moyen de sombrer dans la maladie mentale si ce choix ne permet pas un peu de répit au travers de contacts et d'activités autres que faire le ménage et s'occuper des enfants. Pour le bien-être des adultes comme celui des enfants, nous avons besoin de systèmes de garde sûrs.

Dans des combinaisons adaptées aux différentes périodes de la vie de l'enfant, les amis, les assistantes maternelles, les crèches peuvent contribuer à améliorer grandement la vie des familles. Le tout est de connaître les besoins réels de l'enfant qui, jusqu'ici, n'ont pas été abordés dans le débat. On a inventé les modes de garde pour le confort des adultes, pas en fonction des besoins ou des souhaits des petits. Ils n'ont été pris en compte qu'ensuite.

Un sursaut de bon sens ainsi que les résultats de la recherche renversent aujourd'hui l'opinion générale qui voulait qu'une enfance passée en crèche soit une bonne enfance. Je prédis que nous allons assister à un mouvement très net qui va utiliser les systèmes de garde pour accroître le rôle des parents plutôt que les remplacer, ce à quoi ils servent parfois aujourd'hui. Je prédis aussi, et je l'appelle de mes vœux, que le recours à ces modes de garde pour bébés et tout-petits va diminuer considérablement en même temps que les parents prendront conscience de leur coût, psychologique et autre.

Nous sommes sortis de l'esprit « on peut tout avoir » des années 1980 et commençons à intégrer la tendance « regardons la réalité en face » des années 1990. Nous portons sur beaucoup de choses un regard neuf et « l'éducation à distance » en est une. La foule des parents en attente d'une place en crèche sera peut-être bientôt rattrapée par une ruée dans l'autre sens.

LU DANS LA PRESSE

« Les femmes qui travaillent et mettent leurs jeunes enfants en crèche souffrent parfois de dépressions assez graves du fait de la séparation », annonce une nouvelle étude qui révèle que certaines d'entre elles sont suffisamment atteintes pour avoir besoin d'un traitement psychiatrique.

Un chercheur de l'université de Melbourne a interrogé quatre-vingts mamans de cette ville, obligées de travailler pour raisons financières et qui mettent leurs enfants de moins de deux ans dans des crèches en banlieue. L'étude révèle que dans les deux premiers mois qui suivent le placement de l'enfant en crèche, beaucoup de femmes se plaignent de souffrir de l'angoisse de le laisser. Cette angoisse entraîne parfois une dépression. Quatre des quatre-vingts femmes interrogées souffrent de dépression clinique grave.

Un tiers environ des mères au travail disent qu'elles auraient préféré rester à la maison avec leur enfant plutôt que travailler et le laisser en crèche.

Un autre groupe de quatre-vingts mères, restées à la maison pour s'occuper de leurs enfants, ne montrent pas le même niveau d'angoisse. »

(*Working Mums feel the pain of leaving children*[1], The Mercury, Hobart, 13 février 1993.)

---

[1] *Les mères qui travaillent souffrent de laisser leurs enfants.*

SEPT RAISONS DE RESTER CHEZ SOI SANS COMPLEXES
QUAND LES ENFANTS SONT PETITS

1. Je suis égoïste. Pourquoi est-ce que d'autres gens profiteraient de mon adorable petit pendant que je trimerais pour les payer ? Pourquoi est-ce eux qui auraient le plaisir d'assister à ses premiers pas, d'entendre ses premiers mots ? Pourquoi est-ce que quelqu'un d'autre profiterait de cette merveilleuse affection que sait donner mon petit ? Tout ça, c'est pour moi !

2. Je suis le (la) meilleur(e) ! Personne ne peut élever mes enfants aussi bien que moi. Personne ne ressent pour eux ce que je ressens. Personne ne les connaît comme moi.

3. Je suis hyper-prudent(e). Je suis un peu maniaque de la sécurité ; je veux protéger mon enfant des mauvais traitements ; je suis très attentif(ve) à ce qu'il ressent, à quels médias il est exposé. En étant toujours auprès de lui, je ne prends aucun risque dans ces domaines, je sais qu'il est en sécurité.

4. J'aime fonctionner en équipe. Mon conjoint et moi, nous collaborons bien, nous nous complétons pour l'éducation des enfants et j'aime faire cela avec lui(elle). Cela contribue encore à nous rapprocher.

5. Je suis pauvre et fier(e). J'ai une telle estime de moi-même que je n'ai pas besoin de meubles de style, de vêtements chics, ni d'une voiture ou une maison qui « en jettent ». Je suis tellement snob que je n'ai pas besoin d'argent pour avoir plus que les choses essentielles. Mes enfants sont mes trésors.

6. Je suis paresseux(se). En élevant des enfants confiants et détendus, qui se sentent protégés et en sécurité, je me concocte une vie facile pour plus tard. Je prépare le passage sans heurts de leur adolescence. Et je leur enseigne cinquante tâches ménagères.

> **7. Je suis en phase.** Je goûte pleinement la façon dont la vie avance ; les échanges affectifs ; la liberté de suivre mon propre rythme et de choisir la façon dont je vais passer mon temps ; les rencontres avec les autres parents ; l'influence des saisons sur nos activités ; la façon dont mes enfants me gardent jeune ; et la joie d'être, pour cette courte période, au centre de leur monde.

POURQUOI LES PARENTS CHOISISSENT DE FAIRE GARDER LEURS ENFANTS ?

Les parents retournent au travail pour quatre raisons essentielles.

1. Un réel besoin financier

De nombreuses familles ont besoin du salaire des deux parents pour survivre. Beaucoup de femmes qui élèvent seules leurs enfants ont aussi besoin de travailler pour lui procurer le nécessaire. Les systèmes de garde sont une nécessité pour ces familles. Une enquête a montré que 62 % des mères au travail préféreraient rester à la maison tant que leurs enfants ne sont pas encore en âge d'aller à l'école.

2. Le sentiment du besoin financier

Beaucoup de couples ressentent le besoin de travailler, mais quand on y regarde de plus près, on s'aperçoit que leur motivation repose sur le désir d'un style de vie très aisé. Parce qu'ils se marient et ont leurs enfants de plus en plus tard, les couples se sont peut-être habitués à avoir de bons revenus. Il y a quelques décennies, « s'en passer » était une donnée normale de la vie quand on avait des enfants petits ; on s'en souciait moins. Les médias, nos attentes et une société basée sur la compétition davantage que sur l'entraide ont fait que le revenu idéal dépasse de beaucoup ce dont on a réellement besoin.

3. La pression des semblables

Beaucoup de mères pensent qu'elles « devraient » travailler, que c'est « ce qui se fait » et qu'elles ne sont pas « complètes » si elles souhaitent « juste » élever leurs enfants. Le féminisme est resté ambigu sur le sujet de la maternité et a parfois dévalué l'attention accordée aux enfants. Et on trouve plutôt bizarre qu'un homme préfère s'occuper de ses enfants plutôt que travailler à plein temps pour gagner un salaire.

4. Les plaisirs de la carrière

Certaines mères trouvent leur vie professionnelle agréable et gratifiante et ces avantages l'emportent sur l'envie de rester à la maison avec les enfants. Parfois, leur conjoint est plus intéressé qu'elle par le « parentage » à temps complet, et ils renversent les rôles. D'autres fois, aucun des deux n'a très envie de rester avec les enfants, qui n'arrivent pas en tête de leurs priorités.

En Australie, 26 % des mères retravaillent après la naissance et confient leur enfant à garder avant l'âge d'un an ; 45 % le font avant que leur petit dernier ait quatre ans ; 59 % avant qu'il ait six ans. Dans près de 70 % des familles, le père travaille à temps complet ; c'est lui qui s'occupe des enfants dans 5 % des familles seulement.

Vous avez le choix,
mais n'aimez pas vous occuper des enfants

Le fait que des formules de garde existent dès le plus jeune âge signifie que beaucoup de personnes décident d'avoir des enfants tout en prévoyant que l'essentiel des soins leur sera fourni par quelqu'un d'autre. Certains parents pensent qu'ils ne sont pas très doués pour le « parentage » et que d'autres personnes s'en débrouilleront mieux.

Mais j'insiste, beaucoup de parents ne sont pas bons d'entrée de jeu. Cela vient avec l'expérience. Le métier de parent n'est pas un passe-temps, et ce n'est pas non plus de tout repos. Tout au long de la croissance de vos enfants, vous allez vivre des étapes que vous trouverez très difficiles : toutes les mères n'aiment pas les bébés ; certaines personnes ne supportent pas les tout-petits ; d'autres détestent les adolescents... Il arrive à tous les parents d'avoir envie de jeter l'éponge, d'abandonner la partie.

Mais, derrière tout ceci, il y a en général des raisons qui méritent qu'on les examine en profondeur.

C'est en faisant face à bon nombre de crises, sans démissionner, que nous apprenons à être parent, à mieux nous connaître, à nous comporter avec les enfants de manière satisfaisante et heureuse.

Y a-t-il un « syndrome de la crèche » ?
Ou comment savoir si le mode de garde
affecte mon enfant ?

Dans les années 1960, on s'est soucié de savoir si les systèmes de garde institutionnels étaient néfastes pour les enfants. Les résultats furent rassurants : du fait des critères retenus, on n'a guère remarqué de différence, voire même aucune. Les enfants placés en crèche semblaient avoir acquis des savoir-faire sociaux plus développés, être un peu plus indépendants et sûrs d'eux. Mais les critiques de ces études ont souligné que presque toutes les enquêtes avaient été menées dans des crèches haut de gamme, situées en général près des campus universitaires pour faciliter le travail des chercheurs, et donc loin d'être représentatives de la réalité.

Dans les années 1970, on a modifié l'orientation des études en conduisant des enquêtes « qualitatives », pour voir si la qualité induisait une différence. Sans grande surprise, on a constaté qu'avec des groupes réduits d'enfants, des puériculteurs mieux formés et un rapport personnel/enfants plus élevé, on améliorait le résultat. Quand le groupe était plus nombreux, on a identifié un risque « d'apathie et de détresse » chez les tout-petits ; si les activités étaient mal conçues, un effet « d'ennui et de décrochage » chez les plus grands.

Dans les années 1980, les chercheurs ont commencé à se demander si « l'accueil de qualité » que les parents souhaitent pour leurs enfants n'était pas tout simplement impossible à créer dans un cadre institutionnel. Dans la « zone de problèmes » figure, de manière récurrente, le manque de lien sécurisant et affectif avec les éducateurs. Résumant cette enquête dans son ouvrage *Children in Australian Families*[1], Gay Ochiltree souligne un fait patent, la rotation rapide du personnel des crèches : « La perte d'une personne à laquelle il s'est attaché peut être très douloureuse pour un tout-petit. Si on met cette observation en parallèle avec le taux de renouvellement annuel[2] de 40 % chez les éducateurs des centres institutionnels et de

---

[1] *Les enfants dans la famille australienne* (Australian Institute of Family Studies, 1992).

[2] Il s'agit de données américaines ; on observe la même tendance dans les autres pays occidentaux, du fait des salaires et de statuts peu motivants.

60 % pour les assistantes maternelles à domicile, il y a vraiment de quoi s'affoler. »

Dans un article prudent et pénétrant, « *La garde journalière des bébés, un état des lieux inquiétant* », Jay Belsky (déjà cité) analyse l'ensemble des données de la recherche, soit des centaines d'études menées dans le monde entier, dans toutes les circonstances imaginables.

Il découvre que sans apporter de preuves mais avec de très fortes présomptions, de nombreuses études suggèrent la réalité de dommages spécifiques et récurrents, notamment quand on utilise une approche globale. Il relève en particulier quatre effets alarmants chez les enfants qui ont été placés en garde *avant l'âge d'un an* :

• Un schéma de recul et d'évitement par rapport à la figure maternelle : des bébés et des tout-petits qui ne se rapprochent pas de leur mère ou ne la voient pas comme une source de réconfort. La vie en collectivité semble mettre ces petits en colère contre leur mère, de telle sorte qu'ils ne se tournent pas vers elle pour être rassurés. Soit ils nouent des attaches affectives avec d'autres personnes, soit ils ne créent aucun lien fort.

• Une plus forte tendance à l'agressivité, tout petit, mais aussi plus tard à l'école ; tendance à agresser, frapper, insulter, se battre plutôt que négocier, s'éloigner, garder son calme.

• La désobéissance : ne tenir aucun compte des demandes et des ordres des adultes ou s'y opposer, faire le contraire, se révolter.

• Un retrait par rapport à la société : éviter les autres, fuir la compagnie des adultes, rester replié sur soi.

On retrouve ces effets dans un large éventail de cas : familles pauvres, moyennes, aisées ; enfants allant d'assistante

Un enfant élevé en crèche, ça se repère tout de suite

En menant notre enquête pour ce chapitre, nous avons entendu des commentaires assez édifiants de la part de parents qui sont aussi instituteurs en maternelle et en primaire :

« On repère vite les enfants qui ont été en garde ou en crèche avant de commencer l'école. Ils sont vraiment différents. »

« C'est difficile à dire : ils sont plutôt plus froids ; ils s'intéressent moins à vous en tant que personne. Ils peuvent avoir un talent pour manipuler les gens. »

« La plupart des tout-petits arrivent le matin en tenant leur maman par la main ; ils sont anxieux. Mais ils transfèrent vite leur confiance de la maman à vous (*l'instituteur*). Ils sont très affectueux, le contact est facile. Les petits des crèches donnent l'impression, comment dire, de s'être "durcis". Pour eux, voilà juste une autre personne, un autre lieu. On ne voit pas souvent les parents non plus. Parfois, le petit arrive directement de la garderie et y retourne après l'école. »

« On a l'impression que ces petits ont rencontré des tas d'adultes et du coup, cela ne leur fait plus rien. Ils avancent normalement, passent la journée sans problème, mais donnent l'impression d'être résignés. Ils sont plus durs ; presque déprimés. »

maternelle en assistante maternelle, crèches réputées ou institutions bas de gamme ; et même avec des nourrices au domicile des parents.

Ces comportements ne nous surprennent pas. Placé dans une crèche moyenne où les adultes-repères vont et viennent, mis en concurrence avec d'autres enfants pour obtenir de l'attention, privé de calme et d'espace personnel, le petit apprend à se débrouiller seul. Mais il peut apprendre aussi à ne pas trop accorder sa confiance aux personnes adultes, y compris à sa propre mère qui n'est pas présente pour lui une bonne partie de la journée. Il fait face du mieux qu'il peut. Certains le font sans doute mieux que d'autres.

On peut donc répondre avec une certaine netteté à la question que se posent les parents : « Est-ce que le système de garde affecte mon enfant ? » Si l'enfant montre régulièrement une combinaison des quatre symptômes que nous venons de répertorier, la réponse est très probablement oui.

LES DIFFÉRENTES OPTIONS

Les parents ont le choix entre de multiples modes de garde pour leurs enfants. Chacun a ses avantages et ses inconvénients. Passons-les en revue[1] pour que vous puissiez estimer lequel, s'il en est un, répond à vos besoins.

---

[1] Steve Biddulph appuie ses thèses sur l'observation du système australien. Ses arguments ont leur pertinence quels que soient les systèmes de garde, mais nous avons allégé son texte des références strictement locales qui n'apporteraient rien au lecteur francophone. Celui-ci pourra apprécier, par comparaison, les mérites ou les failles du système australien et s'inspirer des améliorations proposées par l'auteur (N.d.T.).

À quoi ressemblent les crèches ?

La plupart sont des lieux construits à cet effet, grands comme une maison. Elles ouvrent en général de 8 h à 18 h, ou plus tard si elles s'adressent à des parents qui travaillent en pauses. Elles proposent une garde à temps-plein, à temps partiel ou occasionnelle. Elles sont encadrées par une législation adaptée qui prévoit le nombre de personnes en fonction du nombre d'enfants (environ 1 adulte pour 5 tout-petits de moins de deux ans ; 1 adulte pour 15 enfants de plus de deux ans), la surface des espaces intérieur et extérieur, le nombre de sanitaires, etc.

Une partie des salariés, mais pas tous, doivent être diplômés de la petite enfance. Les crèches de qualité élaborent des programmes structurés, semblables à ceux que proposent les *preschool groups*[1] ; ils permettent aux enfants d'apprendre à travers des activités et des jeux surveillés.

Le coût varie d'un établissement à l'autre, mais la moyenne dépasse 240 euros par mois. Dans certains cas, il est largement couvert par des subventions, d'autres fois il incombe entièrement aux parents. Le gouvernement australien estime que le coût annuel moyen de l'accueil à temps complet d'un enfant est de 3 150 euros. C'est presque le quart du revenu net après impôt d'un salarié moyen à temps complet. Pour certains foyers, le coût (surtout si on ajoute les frais d'essence et, très souvent, la nécessité d'acheter une deuxième voiture) et le temps que cela exige dépassent ce qu'ils gagnent.

Une tendance très positive voit le jour : la crèche organisée par l'employeur sur le lieu de travail. C'est une belle amélioration. Elle facilite le contact entre le parent et

[1] Les *preschool groups* sont une forme de maternelle, mais privée et moins généralisée qu'en France.

l'enfant à la pause-café ou au déjeuner, ou pour l'allaite-ment, et réduit les temps de trajet. L'employeur en tire un bénéfice certain, son personnel étant plus heureux et détendu.

Les assistantes maternelles

Le système des gardiennes à domicile est encadré par les collectivités locales. Les assistantes maternelles reçoivent un agrément qui leur permet d'accueillir plusieurs enfants chez elles. En général, elles n'ont droit qu'à un seul bébé à la fois, les autres enfants devant être plus âgés. La maison ou l'appartement est inspecté pour vérifier si les normes de sécurité y sont bien appliquées (accès aux placards, esca-liers, sorties, etc.). Les inspecteurs veillent à la qualité des soins prodigués et n'accordent pas l'agrément à une personne qui ne remplit pas leurs conditions.

Mieux vaut chercher une « nounou » qui fait ce métier depuis un certain temps déjà, qui a l'air heureuse et bien organisée. Fiez-vous à vos impressions personnelles sur la personne, son foyer. Observez bien le comportement des enfants qui s'y trouvent.

Un « plus » énorme : l'environnement de l'enfant est celui d'une maison. Avec un peu de chance, l'enfant va entamer une relation stable où il se sentira apprécié en tant qu'individu. Comme pour toute relation de confiance, les seuls guides dont vous disposez sont le temps et la connais-sance de la personne. Si vous avez de la chance, cette personne peut devenir une amie de la famille et un pôle affectif supplémentaire dans la vie de votre enfant.

Pour vous aussi, l'assistante maternelle est une formule plus personnelle que la crèche. Vous pouvez prendre le temps de boire un café, vous rapprocher d'elle le plus possible. Faites votre petite enquête et rencontrez plusieurs assistantes maternelles pour voir comment vous

vous entendez. Cette relation a trop d'importance pour être le seul fruit du hasard.

Les salaires très bas que perçoivent les assistantes maternelles par rapport aux compétences et aux responsabilités qu'on exige d'elles rendent ce système bon marché pour les parents et pour la collectivité. Grâce aux mesures prises par le gouvernement australien, on peut faire garder un enfant pour 25 euros par semaine (au moment où nous écrivons, le gouvernement paie les assistantes maternelles 2,50 euros de l'heure, soit 100 euros par semaine). L'idéal serait que les assistantes maternelles soient mieux payées et gardent si possible moins d'enfants.

Avec ces modes de garde existe un risque d'abus sexuel, mince mais non négligeable. C'est possible de la part du mari de l'assistante maternelle, d'un fils ou d'une fille plus grands, du personnel ou des visiteurs d'une crèche. Des études hospitalières ont montré que 10 % des abus sexuels graves avaient lieu dans le cadre d'un mode de garde. Un des critères à retenir pour laisser d'autres personnes s'occuper de son enfant est d'attendre qu'il ait atteint l'âge où il peut exprimer clairement ce qui ne va pas.

Les *preschools*

Comme son nom l'indique, la *preschool* est une introduction à temps partiel à la vie scolaire pour les enfants de trois à cinq ans[1]. Beaucoup de parents apprécient cette institution et décident du moment où leur enfant va la fréquenter en fonction de son évolution.

Pour beaucoup de parents, ces *preschools* constituent un bon choix de mode de garde. Comme elles émanent du système scolaire et s'attachent moins à l'aspect « garde », elles s'appuient davantage sur un programme éducatif que

---

[1] En Australie, on entre en primaire à cinq ans.

la plupart des autres institutions. En général, les *preschools* ne fonctionnent que sur la base de demi-journées ou de journées courtes. La plupart des enfants les fréquentent moins de cinq jours par semaine. On rappellera ici que les spécialistes de la petite enfance estiment qu'il n'est pas souhaitable de placer un tout-petit dans un environnement structuré pendant de longues journées, ni plus de quatre jours par semaine.

Parfaits pour un parent à la maison ou celui qui travaille à mi-temps, les horaires des *preschools* ne suffisent pas pour ceux qui travaillent à temps complet.

La nounou chez soi

La nounou chez soi permet d'établir une relation privilégiée : un adulte pour un enfant. Cela revient évidemment très cher et la qualité du service est extrêmement variable (est-ce l'enfant ou votre télévision qui l'intéresse ?). Être nounou chez quelqu'un, si l'on n'est pas fait pour ça, est un métier bien solitaire. Un jour, une correspondante de l'émission *Offspring*[1], sur ABC, a téléphoné pour raconter que son fils (un an) avait eu trois nounous en six mois. « Mais, a-t-elle ajouté, ce n'est pas franchement amusant pour une jeune fille de dix-sept ans de passer la journée en compagnie d'un bébé. » On ajoutera que ce n'est peut-être pas très drôle pour le bébé non plus. Parfois, la nounou est formidable, et dans ce cas, c'est un soutien inestimable pour la famille ; et elle s'occupe de l'enfant chez vous !

Avec la nounou chez soi apparaît un effet secondaire dont la plupart des parents se doutent bien puisqu'il est lié à la qualité même des soins apportés à l'enfant. Des études menées en Amérique du Nord sur des familles aisées

[1] *Progéniture* (N.d.T.).

employant une nounou chez elles démontrent qu'avoir une bonne nounou porte réellement atteinte à la relation de l'enfant avec sa mère parce que la vie de l'enfant gravite naturellement autour de la personne qui lui donne temps et affection. Cela peut se comprendre, mais c'est surtout un problème de surdosage que l'on peut éviter en rétablissant l'équilibre entre le temps de la maman, celui du papa et celui de la nounou. Il n'y a aucun mal à aimer toutes sortes de gens.

La famille et les amis

En Australie, la formule de loin la plus utilisée est le recours aux parents et aux amis : grands-parents, voisins, etc. C'est le cas notamment chez les groupes familiaux récemment installés en Australie et qui ont conservé des liens familiaux et culturels forts et une tradition d'entraide.

Quand la famille ou les amis partagent les soins de l'enfant, les mêmes précautions doivent être observées : il faut veiller à ce que les tâches soient réparties équitablement entre les personnes impliquées. Mais, grosso modo, le petit sera câliné et bien soigné parce qu'il fait partie de la famille. Cet art millénaire de partager les joies et les charges de l'éducation enfantine a bien des avantages.

LA DISCIPLINE ? UN PROBLÈME DÉLICAT POUR CEUX QUI GARDENT NOS ENFANTS

Une des priorités d'un professionnel de la garde de la petite enfance est d'éviter les ennuis, et donc d'éluder les conflits de discipline que les parents, eux, sont obligés d'avoir avec leur enfant et grâce auxquels ce dernier prend des leçons essentielles. Quand un enfant se comporte mal avec son gardien, celui-ci doit le distraire ou l'apaiser, mais n'a pas à l'affronter ; nous, les parents, n'aimerions pas que la puéricultrice ou la nounou prennent des mesures trop fermes. C'est la même chose pour l'affection ; elle est diluée. L'enfant ne fera pas la sieste dans un fauteuil, dans les bras d'une personne aimante, mais sur un matelas. Quand bien même la puéricultrice ou la nounou voudraient-elles dispenser autant d'affection (et ce n'est pas l'envie qui leur manque), elles n'en auraient pas le temps.

L'enfant placé en garde attirera bien plus facilement l'attention s'il présente un problème. On s'occupe des enfants agressifs ou très perturbés. Les enfants qui se comportent bien peuvent devenir invisibles. Les éducateurs nous ont parlé du « syndrome de l'étiquette » par lequel, dès les premiers jours, un enfant se forge une identité « d'enfant à problèmes » alors qu'il a juste des difficultés à s'adapter. D'une équipe d'éducateurs à une autre, d'une année sur l'autre, on se passe le mot de ce « cas », et cette réputation peut le suivre jusqu'à l'école.

Le parent ne s'adresse pas du tout à son enfant comme à n'importe quel enfant. Une directrice de crèche nous a dit qu'elle mettait son enfant dans une autre crèche parce qu'elle trouverait injuste de l'avoir auprès d'elle alors qu'elle joue son rôle professionnel. Une autre avait adopté la stratégie inverse : pour rien au monde elle n'aurait éloigné son enfant d'elle.

Nous, parents, nous intéressons passionnément à notre enfant. Voyez à quel point vous rasez vos amis avec le récit de ses progrès. Observez cela du point de vue de l'enfant. Comment ne serait-il pas important pour lui de passer ses deux-trois premières années avec des gens qui l'adorent, qui ont hâte de le voir apprendre et grandir et qui y trouvent de l'intérêt et en tirent une fierté personnelle ? C'est vrai, un employé rémunéré peut s'intéresser très sincèrement au bien-être et aux progrès de votre enfant. Au mieux, il éprouvera une grande affection pour lui et le traitera avec tendresse. Mais ce qu'il pourra lui offrir n'équivaudra jamais à l'investissement et à l'intensité affective d'un parent.

L'ATTENTION, MÊME DE QUALITÉ, N'EST JAMAIS QUE DE L'ATTENTION

Dans le débat sur l'accueil des tout-petits, on galvaude le mot « qualité ». Certes, personne ne se réjouit à l'évocation d'institutions lugubres, surchargées d'enfants, gérées par un personnel distant et cruel. Mais on a tendance à laisser entendre qu'une crèche de qualité offre un environnement équivalent (et même, dit-on parfois, supérieur) à celui qu'un parent peut offrir.

L'attention, ce n'est pas de l'amour

Ce que l'on devrait se demander, c'est si l'enfant obtient de l'attention, de façon continue, de la part de personnes qui ont avec lui une relation à long terme et qu'il va investir peu à peu de sa confiance et de son amour.

C'est l'amour qui est au cœur de cette affaire. On pourrait certainement améliorer le lien intime que le personnel établit avec l'enfant en réglant les questions du roulement du personnel, des effectifs des groupes, de l'affectation d'un éducateur à un même groupe, du nombre d'adultes différents censés interagir avec l'enfant pendant son séjour en garde.

Le débat sur la qualité est en général centré sur la formation du personnel, l'équipement, les questions de nutrition, les programmes éducatifs. Tout cela compte, mais on élude la question de la qualité de la relation. Passer son enfance entre les mains de vingt ou trente personnes différentes, même dans le meilleur des environnements, reste pourtant une forme d'enfance très étrange.

L'expression « accueil des enfants » est un bon outil de marketing. Il laisse la question ouverte : est-ce que cet accueil consiste à garder les enfants, à les éduquer ou à les élever ? Quand, bébé et tout-petit, vous passez huit ou neuf heures par jour en crèche, alors ce sont ces gens, assurément, qui vous élèvent. Mais personne, dans « l'industrie » de la petite enfance, ne suggérerait que les professionnels reprennent à leur compte le rôle premier des parents. On sous-entend, d'une manière ou d'une autre, que les parents vont continuer à fournir tout ce dont l'enfant a besoin, même si le temps de contact parent-enfant s'est rétréci comme peau de chagrin. Pour l'enfant placé en garde, il n'est pas du tout exclu que le développement de son savoir-faire relationnel intime n'ait tout bonnement pas lieu. L'enfant en tant que personne pourrait bien en faire les frais.

Les théoriciens de l'accueil des tout-petits ont des objectifs élevés ; la réalité est souvent différente. Des étudiants ou de jeunes éducateurs que nous avons interviewés nous ont souvent parlé de l'énorme fossé qu'ils constatent entre leurs idéaux de l'école ou de l'université – « programmes individualisés », « interaction de personne à personne » – et la réalité de la vie quotidienne dans une crèche bien pleine. S'occuper des enfants est un métier porteur de stress : problèmes de santé, rotation rapide des personnels, cas graves de surmenage sont très courants chez les directeurs et les éducateurs.

RÉCAPITULONS

En Australie, les femmes ayant un emploi rémunéré sont proportionnellement plus nombreuses que dans presque tous les autres pays du monde. Elles forment 42 % de la population active contre seulement 25 % en Allemagne, 27 % en Angleterre, 22 % en Italie. On ne trouve une proportion plus élevée qu'en France (45 %) et aux États-Unis (près de 50 %).

En Australie, près de 200 000 enfants de moins de 5 ans passent la journée dans un centre d'accueil institutionnel. Près de 500 000 dans d'autres modes de garde. Et 500 000 autres sont élevés à la maison par leur mère, ou leur père, ou les deux. Autrement dit, les formes de garde institutionnelles sont l'option la moins souvent choisie, mais demeurent néanmoins une solution pour près d'un enfant sur six. Une multiplicité de combinaisons et d'arrangements viennent brouiller ces chiffres.

Le premier choix des parents se porte vers la famille ou des amis très proches. Vient ensuite l'assistante maternelle, un système plus « naturel » puisqu'une mère, dans son foyer, s'occupe des enfants de plusieurs autres personnes, dans un cadre bien réglementé garantissant sécurité et qualité. Les crèches intéressent principalement les parents des villes, plus mobiles, qui ont besoin d'un service plus structuré, avec des journées de garde plus longues dépassant les possibilités des parents et amis.

L'enfant est parfois placé très jeune en garde. Dans les grandes villes, il n'est pas rare de voir des parents qui font carrière placer leur bébé pour de longues journées, de 7 h 30 à 18 h, cinq jours par semaine, dès l'âge de six ou douze semaines. On fait pression sur les directeurs de crèches pour qu'ils prennent les bébés le week-end aussi. Quand ces enfants atteignent l'âge scolaire, ils exécutent tous les jours un véritable parcours du combattant de la maison à la garde préscolaire, de l'école à l'étude, de l'étude à la maison.

En dépit de la demande, le travail en crèche est peu considéré. Le personnel y est catastrophiquement sous-payé. De même, un plus grand nombre de mamans choisiraient de rester à la maison avec leurs enfants pour devenir assistantes maternelles si le revenu était plus gratifiant. C'est simple : nous n'accordons pas suffisamment de valeur aux enfants. Dans la plupart des villes australiennes, parquer sa voiture coûte plus cher que parquer ses enfants.

LE CŒUR DU PROBLÈME :
LA GHETTOÏSATION DES MÈRES

Deux raisons poussent les mères à retourner travailler alors qu'elles préféreraient rester à la maison.

La première est la dépendance économique. S'il dépend du revenu d'une autre personne, le parent au foyer peut se sentir vulnérable et déprimé. On fait parfois sentir au conjoint qui ne rapporte pas d'argent que son travail est sans valeur, puisqu'elle/il « ne fait qu'élever les enfants ».

L'autre raison est la crainte de « péter les plombs » à passer toutes ses journées en compagnie de petits enfants. C'est un problème, mais qui ne vient pas des enfants : le vrai problème, c'est la manière dont nous vivons. Nos banlieues résidentielles, nos appartements ont l'air très agréables, mais souvent, ce sont des endroits très isolés. Nous vivons entourés d'étrangers. La seule ouverture sociale, c'est la sortie au supermarché. Établir plus de liens et favoriser un changement de la société est possible avec les maisons de quartier, les regroupements de parents, les paroisses, les clubs de piscine et toutes les autres associations. Mais pour faire la démarche d'y aller, la maman a besoin d'avoir un bon degré de confiance en elle et certains talents de communication.

Affirmer que les paysans d'Éthiopie et les habitants des bidonvilles de Calcutta ont une vie meilleure que les Occidentaux, en termes de soutien social et de simple relation humaine au quotidien, n'est pas totalement incongru.

Redonner vie aux banlieues

Si plus de parents restaient à la maison dans la journée, la vie des banlieues résidentielles changerait certainement rapidement. On assiste déjà à ce phénomène par endroits, avec la naissance de groupes de parents, de maisons de quartier et de beaucoup d'autres réseaux officiels ou informels d'hommes et de femmes. Certains sont orientés sur les enfants, d'autres seulement sur le développement personnel, d'autres encore sur l'activisme social pour des questions importantes comme l'environnement ou l'augmentation des ressources des familles.

Les hommes choisissant de se tourner plus vers leur famille et de plus en plus de personnes travaillant à la maison (grâce à l'ordinateur) ou moins d'heures, les banlieues résidentielles pourraient bien, prochainement, passer du stade de cités-dortoirs désertes à celui de lieux vivants, sécurisants, où la vie se déroule dans ce qu'elle a de meilleur.

Et si c'était ça, la vie idéale ?

Dans une banlieue boisée dominant le port de Hobart, un groupe de maisons se distingue un peu de ses voisines plus conventionnelles : des tons chauds, un camaïeu d'ocre, du bois de Tasmanie. Ce que l'on remarque surtout, c'est qu'il n'y a pas de route, seulement des allées paysagères et de discrètes places de parking aux abords d'un site de plus d'un hectare.

C'est la « co-maison » (*cohouse*) de Cascade, une forme d'hébergement pour habitants de tous âges qui a rencontré un grand succès dans le nord de l'Europe et séduit aujourd'hui l'Australie. Pour une famille toute neuve qui doit s'installer en ville, cela pourrait bien être le mode de vie idéal.

Comment est-ce organisé ?

Cette co-maison de Cascade comprend quinze logements à flanc de coteau ; ils suivent une courbe et font face à un bâtiment collectif plus vaste, partagé par tout le monde.

Au centre s'ouvre une vaste et plaisante « place de village ». Une allée piétonnière serpente entre les jardins et les terrasses. Quand les travaux seront terminés, trente à quarante personnes vivront ici. Chaque foyer possédera un titre de copropriété, comme dans un immeuble. Chaque logement donne sur un espace piétonnier collectif, mais dispose à l'arrière d'un jardin privatif.

Mieux encore, tous les occupants partageront le grand bâtiment commun : salle à manger pour quarante convives, salle de jeux pour les enfants, atelier bien équipé, lieu de méditation, espace de bureau, cuisine. Les occupants pourront quotidiennement se rencontrer et se joindre les uns aux autres, ou vivre dans leur propre foyer puisque les maisons sont indépendantes.

C'est une vraie communauté, mais pas au sens où on l'entendait dans les années 1960.

Un des aspects les plus sympathiques de la vie ici, c'est que l'on a instauré un système de repas du soir pris en commun. Chacun des adultes membres de la communauté doit, à tour de rôle, à intervalles réguliers, préparer un repas pour le groupe. Actuellement, le tour de chacun tombe toutes les huit semaines ! On envisage que ces repas aient lieu quatre fois par semaine. Pour une jeune mère ou un jeune père qui travaille, cela signifie qu'au lieu de rentrer du travail pour se mettre aux casseroles, il lui suffira souvent d'aller se balader jusqu'à la maison commune pour profiter d'un excellent repas.

Un lieu sûr pour laisser grandir les enfants

Ian et Jane, deux jeunes scientifiques, membres fondateurs de la co-maison, expliquent pourquoi cette organisation est idéale pour eux, en tant que parents d'une petite fille de deux ans. S'ils le désirent, ils peuvent sortir deux à trois fois par semaine ; ils ont à leur disposition d'excellentes gardes d'enfants. Leur petite fille peut se rendre à pied dans la maison de ses jeunes amis ou chez d'autres membres de la co-maison qui aiment la compagnie des petits. Comme à la base du projet il y a un groupe dans lequel tout le monde se connaît et qui a choisi la vie en communauté, la confiance et la camaraderie règnent partout.

Les jeunes mamans ou papas au foyer peuvent trouver des gens avec lesquels discuter en mettant simplement le nez dehors ou en se rendant à la maison commune. La communauté dispose aussi d'un appartement pour les visiteurs.

Les personnes plus âgées se sentent en sécurité, et jamais seules ; le respect de la vie privée est garanti, dans la conception même du bâtiment.

Bien vivre pour pas cher

Sur le plan financier, les résidents de la co-maison ont pu bâtir un logement très agréable pour 42 000 euros. Acheter son titre personnel et la copropriété des équipements, dont la maison commune, leur a coûté 19 000 euros de plus. Tout cela inclut les coûts cachés comme les raccordements et le droit de timbre, qui normalement augmentent de 4 800 euros le coût d'un immeuble de banlieue.

La co-maison offre une qualité de vie que ses occupants n'auraient pas pu individuellement s'offrir : compagnie, sécurité, repas préparés, faible coût de transport, énergie solaire et tout un potentiel de partage. En Europe, certaines co-maisons ont leur piscine et leur sauna, et partagent aussi en copropriété résidences de vacances ou yachts sur la côte.

POUR OU CONTRE ?
L'EMPOIGNADE DES EXPERTS

« La qualité médiocre de l'accueil des tout-petits ces dernières années peut parfois causer du tort aux enfants. Cela peut être une expérience malheureuse, pour l'enfant comme pour le parent, de laisser pendant de longues périodes des bébés et des tout-petits sans attention particulière ni occupation, avec une discipline inadaptée, un manque de bons programmes structurés, sans oublier le fait qu'un enfant angoissé n'est pas réconforté. »

Déclaration du Parti travailliste australien, élections fédérales de 1993.

« Je n'ai jamais conseillé à une mère qui veut faire carrière de ne pas le faire, mais je pense qu'il est très cruel pour celle qui préférerait rester à la maison d'être obligée de confier son bébé à quelqu'un d'autre. Si une mère veut rester à la maison avec son enfant, le gouvernement doit lui donner des subventions, comme le font la plupart des autres pays occidentaux. »

Benjamin Spock, *The Mercury*, Hobart, novembre 1992.

« D'après mon expérience, la crèche, si elle est choisie avec soin, n'est pas seulement bonne pour le petit. Il s'y épanouit littéralement. Il bénéficie d'un environnement riche et stimulant, loin de l'étroitesse de la relation exclusive avec un parent. Il a une vision élargie du monde, apprend à partager et à coopérer avec les autres. Il passe du temps avec des adultes qui apprécient sa compagnie et s'attachent à satisfaire ses besoins, jour après jour. Il devient créatif, autonome et, je crois, apprécie d'autant plus ses parents que les moments qu'ils passent ensemble sont privilégiés. »

Rosemary Lever, *Such Sweet Sorrow*[1].

[1] *Une peine si douce.*

« Il est difficile de trouver un centre d'accueil de qualité. Même si vous avez de la chance, une fois votre enfant accepté, votre vie va devenir compliquée car vous devrez jongler entre "déposer et reprendre" l'enfant et les tâches quotidiennes. Si vous me ressemblez un tant soit peu, il vous faudra aussi vivre avec un mélange de sentiments contradictoires, balançant entre joie, bonheur et angoisse : ce mode de garde convient-il ? L'enfant est-il heureux ? Reçoit-il suffisamment de temps et d'attention ? »

Rosemary Lever, *Such Sweet Sorrow.*

« On constate que les enfants de bons parents qui travaillent sont tout aussi heureux et s'en sortent tout aussi bien que ceux de parents qui ne travaillent pas. Ce n'est pas la quantité du temps que vous passez avec votre enfant qui compte, mais sa qualité. »

Christopher Green, *Toddler Taming*[1].

« Les absences régulières peuvent causer des dommages aux enfants de moins de trois ans. Ce n'est qu'entre trois ans et six ans que la plupart des enfants tirent profit d'une journée entière passée dans le cadre d'un accueil collectif de grande qualité. Mais, même là, on constate un consensus chez les puéricultrices des âges préscolaires : pour eux, les bénéfices d'un bon programme éducatif préscolaire diminuent, et sont même anéantis, lorsqu'on prolonge la journée jusqu'à six heures et au-delà. »

Selma Fraiberg, psychanalyste d'enfants, citée par Karl Zinsmeister dans « Hard Truths about Day Care[2] », *Reader's Digest*, janvier 1989.

---

[1] *Le tout-petit apprivoisé.*
[2] « La dure vérité sur les modes de garde ».

«… les bébés placés en crèche ont plus de risques de développer un sentiment d'insécurité, un retrait vis-à-vis de leur mère. Il leur arrive plus souvent de frapper, de donner des coups de pied, de menacer et de protester qu'à ceux qui n'ont pas été mis en crèche ou l'ont été plus tard.

Les enfants qui ont passé des records de temps en accueil collectif non parental commettent plus d'actes d'agression graves, manifestent moins de coopération, moins de tolérance à la frustration, plus de comportements négatifs et, par moments, un retrait par rapport aux autres. »

Karl Zinsmeister, « Hard Truths about Day Care », *Reader's Digest*, janvier 1989.

«… il faut savoir que le mode de garde à la journée a été mis en place pour le bénéfice de l'adulte, et que les enquêtes pour savoir s'il vient en aide ou cause du tort à l'enfant sont venues après. La garde concerne l'économie des adultes, le comportement des adultes et le désir des adultes. »

Bob Mullen, *Are Mothers really necessary*[1] ?

« Bruner conclut (1980) que, dans leur forme actuelle, les systèmes de garde créent des problèmes pour au moins le tiers des enfants concernés, peut-être même pour la moitié d'entre eux. »

Bob Mullen, *Are Mothers really necessary* ?

« Sheila Kitzinger remarque que le contexte social de la grossesse est devenu négatif et porteur de rejet : la grossesse est vue comme une interruption de la "vraie" vie des gens.

[1] *La mère est-elle vraiment indispensable ?*

Kitzinger ajoute que cette tendance culturelle, qui discrédite la maternité et l'éducation des enfants, attribue à la mère satisfaite de sa maternité une forme d'idiotie sentimentale et sans jugeote. Kitzinger pense qu'il règne dans le "mouvement des femmes", quel qu'il soit, une approche ambiguë de la maternité. »

Bob Mullen, *Are Mothers really necessary ?*

« Les parents débutants sont rarement préparés à l'intensité de l'amour qu'ils ressentent pour leur bébé. Une maman rencontrée récemment m'a dit qu'elle avait été comme "métamorphosée". Titulaire d'un poste élevé dans un grand établissement financier, elle s'était engagée lors de sa grossesse à revenir travailler peu de temps après la naissance. Le jour où nous nous sommes vus, elle m'a dit, émerveillée, comme elle se sentait changée par la naissance de son enfant, tellement privilégiée ; combien elle avait d'amour à donner ; et comme lui était pénible le seul fait d'envisager de laisser son précieux bébé à qui que ce soit. »

Rosemary Lever, *Such Sweet Sorrow.*

« J'ai tenté d'une certaine manière de trouver une justification au fait révoltant qu'une vendeuse non qualifiée gagne deux fois plus qu'une assistante puéricultrice, et que le comptable qui nous a aidés à mettre en place notre nouvelle société de télévision nous a envoyé une note d'honoraires de 150 $ l'heure pour consultation et avis d'expert.

Il n'empêche, je ne me sentais pas très bien en tendant son billet de 10 $ à la personne merveilleuse qui s'est occupée de mon fils toute la journée. J'en suis encore malade. »

Kirsty Cockburn, *ITA*, octobre 1989.

ET ENCORE...

L'accueil de la petite enfance est une réalité acquise. Ce dont nous devons nous garder, c'est de son emploi abusif. Nos normes ont quelque peu dérapé. Nous nous sommes laissés aspirer par le rationalisme économique et avons cessé d'écouter notre cœur.

Le résultat ? Les enfants sont placés en garde trop jeunes, pour un trop grand nombre d'heures et de jours.

L'offre insuffisante oblige les parents, pour répondre à leurs besoins, à recourir à des modes de garde trop différents, parfois au cours d'une même journée.

Le personnel d'accueil de la petite enfance est sous-payé ; il doit s'occuper d'un nombre trop élevé d'enfants. L'accueil en institution est un système dénué de naturel, trop mécanique, trop proche de « l'usine » pour être rassurant.

À l'avenir, l'accueil des tout-petits aura sa place, mais ce sera une place plus réduite que celle qu'il occupe aujourd'hui. Tout le monde aujourd'hui déplore le manque de places en crèche et se plaint des listes d'attente. Mais peut-être un jour y aura-t-il moins de demandes et des places en abondance pour ceux qui en ont réellement besoin. Ceux qui, pour l'essentiel, s'occuperont des nourrissons et des tout-petits seront de nouveau ceux qui l'ont fait pendant des millénaires : les parents, les voisins et les membres de la famille ; les bébés grandiront dans les bras et le foyer de ceux qui les aiment.

RECOMMANDATIONS

Les choix que nous faisons en matière de garde d'enfants devraient s'appuyer en premier lieu sur les besoins de développement de notre enfant.

Comme nous l'avons dit plus haut, il n'existe pas d'étude qui établisse ce qui est bon pour chaque enfant. Nous, parents, devons recourir à notre bon sens naturel. Je recommande ces quelques lignes directrices :

Par tranche d'âge

La première année du bébé, ne recourez à aucun mode d'accueil institutionnel.

Organisez-vous pour que votre bébé reste avec vous tout le temps, sauf lors de pauses occasionnelles, jours de sortie et soirées pour lesquels vous prendrez un(e) *baby-sitter* que vous connaissez et en qui vous avez confiance.

Si vous recourez à un mode de garde institutionnel, nous vous suggérons ceci :

Quand l'enfant aura un an : une courte journée par semaine maximum, par exemple de 10 h à 15 h.

À deux ans : jusqu'à deux courtes journées par semaine.

À trois ans : jusqu'à trois courtes journées ou demi-journées par semaine.

À quatre ans : jusqu'à quatre courtes journées ou demi-journées par semaine.

Votre choix devrait toujours s'appuyer sur les besoins individuels de votre enfant, en observant ses réactions jour après jour.

Par mode de garde

Par ordre de préférence, nous pensons que le meilleur pourvoyeur d'accueil pour votre enfant de moins de trois ans est :

*** Un parent ou un ami proche en lequel vous avez confiance et qui aime votre enfant.

** Une assistante maternelle sympathique et digne de confiance que vous connaissez personnellement (si vous n'en trouvez pas qui vous plaise vraiment, alors la crèche sera sans doute une meilleure solution).

* Une crèche de qualité, au personnel stable, avec lequel vous vous sentez à l'aise et pouvez créer des liens.

Pour l'enfant de trois ans et plus, une bonne crèche et l'école maternelle retrouvent tout leur intérêt. À cet âge, les bénéfices de l'interaction sociale, des activités planifiées, des espaces et équipements de jeu ainsi que d'un personnel qualifié et motivé sont un "plus" très important.

En fonction de votre situation

En face des besoins de l'enfant, dans la balance, il faut placer les besoins du groupe familial ; l'enfant souffrira de toute manière si un parent tombe malade, le ménage se sépare ou la famille perd sa maison du fait de revenus trop modestes.

Une formule d'accueil réellement bénéfique pour la famille devrait remplir les critères suivants :

1. Elle contribue à votre survie ; dans le cas par exemple où votre travail est indispensable pour satisfaire vos besoins matériels.

2. Elle vous donne le temps de vous occuper correctement d'autres enfants ; par exemple un nouveau bébé ou un enfant malade.

3. Elle fournit à votre enfant des choses que vous ne pouvez pas lui donner : des biens matériels (si vous êtes démunis), de la stimulation (si elle est limitée chez vous), des amis (si l'enfant est isolé ou enfant unique).

4. Elle correspond à vos critères en matière de discipline, de respect du bien-être et de la sécurité de votre enfant.

5. Elle construit des relations de longue durée ; les assistant(e)s maternel(le)s deviennent vos ami(e)s, et les ami(e)s de vos enfants.

6. C'est un lieu où vous vous sentez bienvenu(e), où vous pouvez passer à tout moment, rester la journée avec votre enfant, avoir des demandes individualisées, sans jamais sentir que vous dérangez.

En mettant en balance d'une part les besoins de l'enfant, d'autre part le changement de situation de la famille, on pourra faire un choix bien informé qui a toutes les chances de très bien fonctionner.

Bonne chance !

5

LE SALAIRE PARENTAL

« Une société qui subventionne l'accueil de la petite enfance aux parents qui travaillent devrait envisager de verser un montant équivalent aux parents qui choisissent de rester à la maison pour élever leurs enfants d'âge préscolaire.

… C'est une tragédie qu'autant de gens aillent à reculons au travail pendant que d'autres s'occupent de leurs enfants, alors que tant de personnes cherchant du travail n'y ont pas accès. »

The Age, éditorial du 4/10/93.

DEVRAIT-ON PAYER LES PARENTS ?

Partout en Australie, on discute d'une idée révolutionnaire qui pourrait améliorer la vie des familles de manière spectaculaire. L'idée, c'est que si nous accordons réellement de la valeur aux enfants, si nous désirons vraiment « sauvegarder la famille », alors nous devrions verser un salaire à la mère ou au père qui choisit de s'occuper de ses jeunes enfants à temps complet à la maison.

Je suis psychologue et papa, mais pas (Dieu merci !) économiste, ni homme politique. Donc jusqu'à présent, je suis resté dans la sphère de la vie familiale : le comportement des enfants, l'amour, le couple, la communication. Mais observant ce qui est arrivé à la famille australienne depuis une vingtaine d'années et discutant tous les ans avec des milliers de parents, je pense qu'il est de ma responsabilité personnelle de dire à voix haute ce qu'aujourd'hui on ne doit plus ignorer. Je ne peux pas l'exprimer autrement qu'ainsi : le stress est en train de tuer la famille à deux salaires.

Vous savez de quoi je veux parler. D'une manière qui n'a jamais été aussi grave ni aussi courante, la famille moyenne lambda (la vôtre, la mienne) est prise en étau dans un chaos financier et émotionnel tel que même dans la plus petite rue de notre pays, on la voit qui se brise en morceaux. Vous assistez à cela chez vos amis, vos voisins, peut-être dans votre propre foyer. Sans nécessité profonde, les couples se défont, faute de temps pour construire leur relation. Le surmenage altère la santé. On néglige de s'occuper de ses enfants, quand on ne les maltraite pas. Beaucoup d'adolescents sont en détresse.

Ce n'était pas comme ça autrefois. Après tout, les parents n'ont que quatre besoins élémentaires : un moyen de gagner leur vie, un lieu pour vivre, du temps de maintenir le lien du couple et la capacité de s'occuper des enfants. Des besoins simples certes, mais qui nécessitent du temps et/ou de l'argent. Dans les années 1990, on a commencé à ne plus avoir suffisamment des deux. Notre mode de vie semble ne pas très bien fonctionner. Le « rêve australien » relève de l'utopie !

L'INDIFFÉRENCE TOTALE DU SYSTÈME

Bien sûr, la responsabilité de chaque individu joue, mais souvent, ces questions relèvent d'une sphère plus large. Le genre de monde dans lequel nous vivons, nos villes, notre société : tout commence à prendre l'allure d'une terrible méprise. Nous nous sommes fourvoyés dans un mode de vie qu'aucun d'entre nous ne souhaite réellement et qui est devenu une menace pour notre santé et notre vie.

Néanmoins, il y a des facteurs que nous pouvons aborder de front : les priorités économiques de nos gouvernements et les forces organisées qui façonnent notre mode de vie. Nous n'élevons pas nos enfants en autarcie. Nous le faisons dans un environnement qui soit nous aide, soit nous cause du tort. En tant que parents, nous ne pouvons réussir que si les structures qui nous encadrent soutiennent nos objectifs. Sans le faire exprès, mais de manière incontestable, notre société est devenue *toxique pour les familles*. Il nous faut changer cela.

La société est mûre pour ce changement. Les parents s'informent et s'impliquent, s'intéressent de plus en plus à leurs enfants. Mais en même temps, ils se retrouvent éloignés de leur progéniture par l'impérative nécessité de se maintenir à flot. Avant la nôtre, aucune génération n'a consacré si peu de temps au "parentage".

QU'EST-CE QUI A MAL TOURNÉ ?

Des commentateurs aussi divers que Bettina Arndt, Bob Santamaria, Geraldine Doogue, Moira Eastman, Don Edgar et bien d'autres ont souligné la même tendance. À une extrémité de l'échelle sociale se trouvent les *sous-employés*. Nous avons un million de chômeurs (l'Australie compte 18,5 millions d'habitants). Un enfant australien sur quatre vit aujourd'hui dans une famille où aucun des deux parents ne travaille. Il y en a 500 de plus chaque jour.

Et puis il y a les *sur-employés*. Aujourd'hui, beaucoup de gens travaillent cinquante à soixante heures par semaine pour pouvoir conserver leur travail. Aujourd'hui, on peut aussi se sentir menacé en ayant un emploi. C'est vrai dans les entreprises privées, grandes ou petites, mais aussi pour les emplois précaires des administrations. Ceux qui ont un travail assuré voient leur charge s'alourdir par défaut d'embauche. Personne ne se sent en sécurité.

Plus parlant que le reste, il y a 300 000 familles avec jeunes enfants où les deux parents travaillent à temps complet. Ces parents décrivent leur vie comme étant horriblement soumise au stress : on fonce à la crèche puis dans les transports, on grappille un peu de sommeil la nuit, on gagne à peine de quoi compenser le coût de la garde et des transports, etc. On dépense avec mauvaise conscience de l'argent pour les enfants, pour compenser le fait qu'on ne soit pas là pour eux.

LA FAMILLE À DEUX REVENUS, ÇA NE MARCHE PAS

Avoir deux revenus dans une famille n'est pas un péché. Mais cela crée un stress majeur et réduit considérablement le temps familial. Un très grand nombre de mères de tout-petits se sentent obligées de retourner travailler (26 % ont un enfant de moins d'un an). Elles se sentent souvent contraintes de le faire parce que leur conjoint est chômeur ou que ses revenus se sont dévalués de telle manière que le foyer ne peut pas vivre avec un seul salaire. Parfois aussi, nous nous devons de le dire, les deux conjoints travaillent essentiellement par avidité, occupant des emplois dont d'autres auraient bien plus besoin qu'eux. De la même manière, certains couples font des enfants dont ils s'occupent mal pour pouvoir faire carrière. Heureusement, il ne s'agit que d'une petite minorité.

LE MARCHÉ DEMANDE DES FEMMES, NE VEUT PAS DES HOMMES

Durant la dernière récession économique, l'emploi masculin a baissé dans les usines, tandis que l'offre d'emplois féminins à bas salaire dans les services a explosé. Le résultat est un « ghetto du travail féminin » qui déchire des mères luttant pour concilier enfants et salaire.

La femme a le même droit au travail que l'homme. Mais qu'en est-il du droit des mères de jeunes enfants à ne *pas* travailler ? Aujourd'hui, peu de femmes ont ce choix. Quant aux pères, évidemment, cela fait longtemps qu'ils ont été privés de temps passé avec leurs enfants. Aujourd'hui, le père qui travaille quitte souvent la maison tôt le matin pour ne rentrer, éreinté, qu'après la tombée du jour.

La femme a dû se battre pour avoir le droit d'exercer un métier. Il semble qu'aujourd'hui il faille tous nous battre pour avoir le droit d'être les parents de nos enfants. Aujourd'hui, il s'agit d'un droit économique. Nous devons accorder une valeur économique au travail accompli à la maison qui a plus d'importance, en termes financiers réels, que toute notre capacité de production minière, agricole et industrielle réunie.

Ce qui nous amène à la notion de salaire parental.

LE SALAIRE PARENTAL, OU COMMENT RÉSOUDRE DEUX PROBLÈMES À LA FOIS

Cela fait quelques années que circule le concept de salaire parental ; de temps à autre, les députés s'en emparent. Ce n'est pas une idée si extrémiste. Nous payons déjà des gens pour toutes sortes d'autres services publics. Par exemple, l'un des principes repris par tous les gouvernements australiens depuis l'époque Fraser a été d'autoriser l'accroissement du chômage pour servir la restructuration de l'économie. Aujourd'hui, nous « non-employons » un million d'Australiens (sur 18,5). Nous les payons avec des allocations pour ce « service » : on les paie pour qu'ils ne travaillent pas.

Nous payons aussi pour l'éducation des enfants, du moment qu'elle est faite par quelqu'un d'autre que les parents eux-mêmes. Les crèches sont fortement subventionnées, même si elles restent en nombre insuffisant. Et les parents qui travaillent peuvent obtenir des subventions allant jusqu'à 350 euros par mois pour payer le coût de la garde. Mais on ne leur donne rien s'ils s'occupent de leurs propres enfants !

La stratégie politique regorge de contradictions. D'un côté, notre gouvernement veut libérer les gens pour qu'ils viennent grossir les rangs des travailleurs. Donc, nous subventionnons les modes de garde et (comme le souligne Bronwyn Donaghy dans le magazine *Parents*) notre système fiscal favorise nettement les foyers à double revenu. Et pourtant, il n'y a pas assez de travail ; nous dépensons des fortunes en allocations de chômage ; nous devons faire face à la montée de la délinquance et à l'explosion des dépenses de santé. Et ainsi de suite.

Ceci n'est pas un plaidoyer pour enfermer les femmes à la maison. Chacun a le droit de rechercher – et je l'espère, trouver – un travail gratifiant. Les femmes comme les hommes ont besoin de la stimulation, de la socialisation et de la gratification que procure le travail. Mais partir travailler doit rester un vrai choix. Les femmes doivent souvent s'atteler à des gagne-pain peu gratifiants, subalternes et sans perspectives, pendant que des étrangers s'occupent, à grands frais, de leurs enfants ; avec, à la clé, beaucoup de souffrance morale, d'inconfort et de stress. Parfois, la femme accepte un emploi de ce genre parce que c'est le seul qui lui offre une certaine souplesse dans les horaires.

Qu'avons-nous fait aux mères ? Pourquoi devraient-elles être forcées de déléguer ce travail qualifié, gratifiant, qui consiste à élever leurs jeunes enfants, alors que d'autres, moins qualifiés ou ayant encore plus besoin de travailler, apprécieraient d'avoir leur emploi ? Nous devons arrêter de contraindre celles et ceux qui préféreraient rester à la maison avec leurs enfants, ou rendre d'autres formes de services à la collectivité, à prendre un travail que d'autres aimeraient avoir.

En pratique, en quoi consisterait le salaire parental ? Réflexion et attention sont nécessaires pour en préciser le détail. Ce qui suit n'est qu'un ensemble de suggestions, visant à ouvrir le débat.

Combien devrait-on payer les parents ?

Nous trouvons que les récentes propositions de salaire parental sont toutes scandaleusement basses. En se basant sur le coût d'un personnel salarié 24 h/24, l'estimation du travail accompli par une mère, au foyer, près de ses enfants, dépasse les 48 000 euros annuels. Un salaire convenable tournerait autour de 1 000 euros par mois… Mais restons lucides : un niveau de subvention acceptable pour que le parent reste chez lui, et que cela entraîne des retombées bénéfiques pour toutes les personnes concernées, pourrait être de l'ordre de 500 euros par mois.

Il serait nécessaire de prévoir garde-fous et restrictions afin d'éviter les dérives du type « État providence ». Le salaire parental serait versé à toute famille dans laquelle un (ou les deux) parent n'occupe pas un emploi à temps complet, et être réduit en proportion si le parent « parentant » travaille à temps partiel. Le père ou la mère pourraient prétendre à ce salaire parental. Et le salaire devrait être unique, quel que soit le nombre d'enfants dans la famille, de façon à éviter toute surenchère des naissances. Nous ne souhaitons pas encourager la surpopulation !

Quand le concept du salaire parental a été évoqué pour la première fois en première page du *Sydney's Child*, beaucoup de lecteurs ont proposé qu'un certain niveau de formation parentale soit une condition préalable. Intéressant, non ?

Une autre question tourne autour de la « durée opérationnelle » du parent : jusqu'à ce que tous les enfants soient d'âge scolaire ? Ou bien, avec un salaire décroissant, jusqu'à ce que le dernier ait 18 ans ? De nombreuses options sont possibles.

D'où viendra l'argent ?

Ce qui est merveilleux avec le salaire parental, c'est qu'on fait d'une pierre deux coups. L'effet sur le marché du travail serait immédiat et spectaculaire. À mon avis, près de 60 % des mères de jeunes enfants qui travaillent aujourd'hui (et un nombre inconnu de pères) abandonneraient immédiatement leur emploi s'ils en avaient les moyens. Une étude récente de l'Institut australien des études familiales avance un chiffre de 40 %, auxquels s'ajoutent 20 % de personnes passant au temps partiel.

La Suède résout le problème d'une autre façon : en garantissant jusqu'à 80 % du salaire d'avant la naissance pendant un total de 480 jours après la venue du bébé. Ces jours peuvent être pris par tranches, à la demande, durant toute la petite enfance ; un quota de 60 jours est strictement réservé au père et à la mère.[1]

Si 40 à 60 % des jeunes parents quittaient leur emploi grâce au salaire parental, le nombre correspondant d'emplois serait immédiatement libéré pour les chômeurs indemnisés, hommes et femmes, et les jeunes quittant les

---

[1] Source : ambassade de Suède à Paris, 2002 (N.d.T.).

études. Le chômage coûtant à l'État une moyenne de 600 euros par mois, chaque emploi libéré serait un bénéfice net pour les caisses publiques.

Oui, c'est vrai, à court terme le salaire parental serait une réforme coûteuse. En Australie, cela toucherait environ un demi-million de familles ayant des enfants de moins de cinq ans ; elles percevraient chacune l'équivalent de 6 000 euros par an. Cela fait 3 milliards. Le coût est élevé, mais n'oublions pas d'établir quelques comparaisons. L'Australie dépense aujourd'hui 2,7 milliards d'euros par an en allocations de chômage ; et 5,4 milliards pour la Défense nationale.

Un des intérêts du salaire parental est qu'on peut le faire varier. Plus le salaire sera élevé, plus élevé sera le nombre de personnes qui abandonneront leur emploi ; plus grande sera la réduction du nombre des chômeurs. On pourrait commencer modestement, pour voir ce que ça donne.

INVESTIR L'ARGENT PUBLIC (LE NÔTRE) LÀ OÙ NOTRE CŒUR LE DICTE

Dans notre société, nous montrons ce qui pour nous a de la valeur en y investissant notre argent. Les mères et les pères qui restent à la maison pour élever leurs enfants se sentent souvent dévalorisés par rapport à ceux qui ont un métier. C'est une des facettes du sexisme profondément ancrée dans les esprits que de valoriser le travail d'un cadre ou d'un *businessman*, qui n'apporte peut-être pas de réelle valeur ajoutée, en dévalorisant le travail immensément positif que font, au foyer et dans la collectivité, des gens (en général des femmes) payés zéro euro.

Le travail effectué à la maison a une valeur financière. Il apporte un "plus" immédiat en termes de bien-être et de productivité à notre société. Quand ce travail est mal fait, il coûte cher à la collectivité en problèmes de santé, délinquance, divorces, et quantité d'autres problèmes sociaux hors de prix.

Quand nous dépensons l'argent public pour des programmes immobiliers dans les banlieues, pour l'emploi des jeunes et pour les zones d'éducation prioritaires, nous payons des gens pour qu'ils ne se rebellent pas, pour qu'ils ne commettent pas de délits. Nous « investissons » dans le résultat que nous souhaitons obtenir. L'industrie et le gouvernement travaillent dans l'idée que s'ils investissent dans la mine, l'agriculture, les usines, les entreprises (toutes subventionnées massivement par le contribuable), ces activités vont prospérer et leur prospérité "retomber" sur la population.

Cela ne fonctionne pas. Il manque la moitié des données. Il est aussi nécessaire d'investir dans la famille. Si nous n'investissons pas aujourd'hui dans les familles, les problèmes sociaux qui surviendront seront si lourds qu'ils mettront à genoux notre économie.

Je l'ai déjà dit, je ne suis pas expert dans ces domaines. Mais s'il y a une chose que je sais, c'est que la famille australienne est en crise. Pour qu'on puisse faire une évaluation définitive du salaire parental, on a besoin des commentaires de personnes mieux informées et de calculs plus complexes. Mais, en bout de course, tout cela revient à un bulletin de vote. C'est-à-dire à vous.

Qu'en pensez-vous ?

6

ÉLEVER UN GARÇON

L'heure est venue de préparer un nouveau type d'homme...

Si vous avez une fille, vous pouvez être optimiste. Grâce aux avancées pour lesquelles les femmes ont lutté et qu'elles ont obtenues ces dernières décennies, elle pourra devenir médecin aussi bien qu'infirmière, cadre aussi bien que secrétaire. Elle bénéficiera du droit à l'égalité des salaires, de celui de quitter un mari violent et aura les moyens de le faire. Elle n'appartiendra qu'à elle-même.

Mais il y a encore du chemin à faire. Votre fille n'aura pas la liberté de se promener tranquillement la nuit. Elle rencontrera tout au long de sa vie bien des barrières dues au manque de sécurité et de stabilité affective des hommes. Elle aura peut-être du mal à trouver un homme aussi sain qu'elle sur le plan émotionnel pour vivre en couple. Il manque une étape au progrès apporté par le féminisme : il faut encore que quelque chose change au niveau des hommes pour qu'ils avancent sur le chemin de la liberté que sont en train de tracer les femmes. Nous sommes en mesure de modifier cette situation en commençant tôt, avec nos garçons.

DONNER AUX GARÇONS UNE IMAGE POSITIVE D'EUX-MÊMES

Analysez la situation dans laquelle se trouvent aujourd'hui les garçons. Quand on entend parler à la radio d'une bagarre entre gangs, on est quasiment sûr qu'il s'agit de garçons, pas de filles. Quand on parle du suicide des adolescents, il s'agit quatre fois sur cinq de garçons. Le conducteur de la voiture fracassée, le responsable de la course-poursuite, le gosse à problèmes dans la cour de récréation ou sur le terrain de jeux, le cambrioleur, le tueur en série, l'escroc en col blanc, le dictateur : pourquoi s'agit-il presque toujours d'un mec ?

À l'école, les garçons ont en moyenne cinq fois plus de problèmes d'apprentissage, dix fois plus de problèmes de comportement que les filles. Devenus adultes, ils ont quatre fois plus d'accidents de la circulation et se retrouvent neuf fois plus souvent en prison que les femmes.

Si vous avez un jeune garçon, il ne suffit pas de le laisser grandir pour qu'il devienne « normal » ; parce que normal, pour un homme d'aujourd'hui, cela veut souvent dire tendu, axé sur la compétition et émotionnellement analphabète. Il est temps de se mettre à éduquer l'« homme nouveau ».

Ce chapitre doit nous aider à prendre conscience de tout ce que nous pouvons attendre de plus d'un garçon si nous sommes prêts à élargir notre horizon pour lui.

La première étape pour nous, parents, consiste à nous faire une idée claire du genre d'homme que nous voulons que notre fils devienne.

DE QUEL GENRE D'HOMME AVONS-NOUS BESOIN ?

Un groupe de femmes se réunit un week-end pour un séminaire sur les relations humaines. Dans une autre pièce, leurs conjoints se réunissent aussi. Le responsable demande aux femmes d'énoncer les qualités qu'elles recherchent chez un homme. Après quelques plaisanteries du genre « un maximum d'argent » ou d'autres que la décence nous interdit d'imprimer, l'ambiance redevient sérieuse.

Voici la liste obtenue :

- Passionné

- Autonome

- Prêt à prendre sa part des tâches

- Capable d'aimer profondément

- Capable de ressentir la peine et d'admettre ses peurs, sans tout transformer en colère

- Respectueux des femmes

- Capable de « paterner »

- Sans crainte et tenace pour une bonne cause

- Créatif, pas rigide ni ligoté par les conventions

- Respectueux d'autrui

- Drôle, mais sachant quand il faut être sérieux

- Stable, digne de confiance

- Sachant se tenir à une tâche donnée, allant jusqu'au bout d'un travail

- Aimant, mais ni guimauve, ni dépendant

- Fier, mais pas égoïste

- Rassurant et non violent

- Capable de danser, de chanter et d'apprécier les fleurs

- Pas seulement un accro du travail

- « Nature » et libre

- Spontané

Voilà ce que les femmes recherchent chez un homme. On ne risque rien en pariant que c'est aussi ce que bien des hommes voudraient être eux-mêmes.

En élevant nos garçons, voilà quels peuvent être certains des buts que nous pourrions nous fixer. Cette prise de conscience guidera nos actes et nous aidera à sentir quand nous devons intervenir dans chacune des plus petites situations de la vie quotidienne. Quand un garçon est infect avec sa sœur ou la chatouille alors qu'elle lui demande clairement d'arrêter, nous devons, en tant que parents, intervenir fermement et lui dire de ne pas le faire. Nous en ferions autant si elle se montrait odieuse avec lui. S'il demande pourquoi, nous devons lui dire : « Je veux que tu grandisses en respectant le corps des autres, et en respectant le tien aussi. Quand quelqu'un dit *"arrête* !", tu *arrêtes.* » Vous comprenez l'importance qu'a ceci dans la vie.

COMMENT LE MONDE TRAITE LES GARÇONS

Il y a chez les garçons quelque chose de spécial et de précieux : tous les parents de filles et de garçons remarquent que leurs natures sont différentes. Les garçons ont tendance à arborer leurs sentiments : leurs passions sont souvent fortes ; ils semblent avoir un besoin impérieux de protéger. Ils adorent l'héroïsme et l'action. Ils sont loyaux, stoïques, ont un sens aigu de la justice. Ils sont pleins d'humour, optimistes et ouverts.

Quand j'observe les petits garçons et que je vois la façon médiocre dont le monde les traite parfois, que je constate combien ces qualités particulières sont peu encouragées ou nourries, cela m'attriste profondément.

Deux statistiques résument bien la situation des garçons et l'envergure de la tâche à accomplir pour pouvoir les aider. D'après l'UNICEF, l'Australie, devant tous les pays occidentaux, détient le triste record des suicides de jeunes, suicides qui touchent quatre adolescents pour une adolescente. Ensuite vient un chiffre rapporté il y a quelques années déjà : en moyenne, les pères communiquent six minutes par jour avec leur fils. Nous n'avons pas à nous vanter de ces chiffres qui sont probablement liés. Il est temps plutôt de voir ce que nous pouvons faire pour aider nos garçons à bien tourner.

Résumons d'abord ce qui est nécessaire, puis examinons chaque point plus en détail.

1. Le garçon a besoin d'un père, ou à défaut d'un très bon substitut de père.

2. Le père a besoin du soutien d'autres hommes pour élever son fils.

3. Il faut apprendre au garçon à se comporter correctement à l'égard des filles, à les respecter, à être leur égal.

4. Il faut empêcher que le garçon soit mis en contact avec une violence ou une banalisation de la violence qui pourraient le dévaloriser, le durcir ou l'avilir. Le garçon doit considérer sa sexualité comme quelque chose de spécial, pas comme quelque chose de banal.

5. Le garçon a besoin d'aide pour savoir être autonome à la maison et prendre en charge des tâches quotidiennes.

OÙ SONT PASSÉS LES PÈRES ?

Il y a 150 ans, la vie des hommes et des garçons était très différente. Presque tous les hommes travaillaient dans l'agriculture ou l'artisanat à domicile. Par conséquent, le garçon grandissait auprès de son père et des autres hommes du village ou du bourg. Oncles, cousins et grands-parents, tous s'intéressaient à son apprentissage, entretenaient avec lui des rapports amicaux. Puis brusquement, la révolution industrielle a vidé des villages entiers ; des milliers de personnes sont parties dans les villes, travailler dans les fabriques et les mines. Les mères ont eu la tâche d'élever leur fils puisque les pères étaient absents pour de longues journées de travail, six jours par semaine. « Tu vas voir quand ton père va rentrer ! » est devenu une menace courante.

Perdant le soutien du réseau du village, la famille elle-même a commencé son déclin. Il y a cent ans, la famille moyenne comptait 6,7 enfants. Nous ne connaissons guère de gens qui souhaiteraient y revenir ! Mais les familles n'ont pas fait que se réduire. Elles ont commencé à éclater. Les hommes quittaient leur femme, ou simplement ne se mariaient pas. Bientôt, un grand nombre d'enfants ont été élevés par une femme seule. Cette tendance se poursuit aujourd'hui. L'homme est en train de disparaître de la sphère familiale. Un an après un divorce par exemple, un tiers des pères a pratiquement disparu de la vie de ses enfants.

Un père peut être présent, tout en ayant « disparu » au plan émotionnel. Beaucoup d'hommes qui travaillent quittent le foyer tôt le matin, rentrent tard le soir, fatigués et irritables. Il arrive que des petits enfants ne voient pas du tout leur père pendant la semaine : ils dorment encore quand il part, et dorment déjà quand il rentre le soir. Le père chômeur, s'il ne se laisse pas aller, a bien plus de chances d'être un bon père que celui qui poursuit une carrière accaparante.

L'absence du père fait aussi souffrir la petite fille et lui porte préjudice. Mais elle démolit le petit garçon. Qu'il le montre en étant agressif ou le compense en devenant le petit soutien de sa maman, le garçon sans modèle paternel ne peut pas apprendre à devenir un homme. Certains psychologues pensent que pour apprendre à être un homme, il faut au petit garçon plusieurs heures de contact par jour avec des hommes. Si le petit David a une maîtresse d'école, vit avec sa maman, est gardé par sa grand-mère et ne voit que les amies de sa maman à la maison, il n'apprend rien de ce que c'est qu'être un homme. L'absence de l'homme dans la vie des garçons est un gros problème de notre société.

QUE FAIRE QUAND ON EST UNE MÈRE ISOLÉE ?

Une femme seule peut parfaitement bien élever un garçon. Mais, comme je l'ai appris en discutant avec de nombreuses mères isolées, cela demande une organisation particulière.

Être ferme, rester chaleureuse

Un parent isolé, homme ou femme, doit maîtriser l'équilibre et les passages entre les deux aspects de sa nature : amour-fermeté et amour-tendresse. Pour la mère isolée, le risque est de perdre sa douceur en s'efforçant de maintenir la fermeté dont le garçon a besoin. La femme est en général moins combative que l'homme dans son mode de communication. On le voit dans la façon dont les hommes s'exclament amicalement : « Ah non, encore toi ! » ou « Salut, la terreur ! », etc. La fermeté vient plus aisément chez un père que chez une mère. Parfois d'ailleurs, quand une mère essaie d'être plus ferme, son conjoint se tempère et se montre plus modéré.

Par moments, souvent inconsciemment, le garçon recherche le contact sur un mode combatif (amical et rassurant, mais virulent) pour mieux gérer ses pulsions physiques et ses poussées hormonales. Si vous perdez pied, cherchez de l'aide auprès d'amis ou de professionnels.

Avec un garçon de quatorze ans en particulier, une femme seule aura besoin de préserver son énergie et d'être bien soutenue. Dans ces moments-là, il est important de ne pas frapper, de ne pas faire de geste violent ni de dire des choses blessantes.

POURQUOI EST-CE QU'UN GARÇON FAIT DES SIENNES ?

Marc a quatorze ans. Il aime sortir en vélo le soir et faire l'andouille avec ses copains. Un soir, il est en retard pour le dîner. À son retour, ses parents rouspètent et l'asticotent un peu, mais son père le fait sans grande conviction. Au bout du compte, il est convenu que Marc peut rentrer à l'heure qu'il veut, à condition que ce soit avant la nuit. Son repas restera au chaud dans le four.

Quelques semaines plus tard, Marc rentre vraiment tard, vers neuf heures. Il proteste qu'il fait à peine nuit. Sa mère est très contrariée, mais son père dit : « Bah, tant qu'il ne fait pas de grosses bêtises et qu'il rentre pour dix heures. Les garçons, ils aiment être un peu libres. »

Quelques jours plus tard, c'est un policier qui ramène Marc. Il l'a arrêté en possession de CD volés au centre commercial voisin. Il fait partie d'un groupe de jeunes pris la main dans le sac.

Les parents de Marc, surtout son père, voulaient éviter les ennuis. Mais ils n'ont pas réalisé que Marc avait enfreint la règle pour attirer l'attention sur lui. Quand ils ont adapté la règle pour lui laisser « plus de mou », Marc a dû en enfreindre une plus importante. Le père de Marc est cadre supérieur ; il s'est beaucoup absenté pour son travail. C'est un homme intelligent, il va renouer le lien et mieux jouer son rôle de parent. Marc va être mis en face de ses responsabilités et ce qui est encore plus important, son père va s'impliquer. Il va refuser une promotion impliquant de nombreux voyages pour pouvoir être à la maison plus souvent. Cela va lui coûter financièrement, mais Marc ne deviendra pas délinquant.

Le garçon fait des siennes parce qu'il a besoin de se trouver face à un investissement équivalent au sien en énergie, de préférence de la part du père ou d'un substitut du père. Le garçon dont le père ne s'implique pas est souvent attiré par des héros de bandes dessinées et des jeux « hyper-masculins ». Il essaie ainsi de compenser le manque de masculinité de sa vie. Le garçon dont le père s'implique est manifestement plus calme, plus communicatif et plus équilibré. Il réussit mieux en classe, a moins de problèmes de comportement et trouve plus facilement du travail à la fin de ses études.

Les enquêtes montrent que la fréquence de la dépendance aux drogues et à l'alcool est directement proportionnelle au temps passé avec les parents. L'adolescence n'est pas une période où l'on peut « oublier » ses enfants.

Trouver les bons modèles

Vous devez rechercher activement des modèles pour votre fils. Allez à l'école, demandez au directeur un bon enseignant homme pour lui l'an prochain. Quand vous choisissez un sport ou une activité, faites-le en regardant le genre d'homme qui s'en occupe. Est-ce le type d'homme auquel je voudrais que mon fils ressemble ? Vu ainsi, l'entraîneur de football ou le moniteur de karaté peut être épatant, ou alors… au secours !

Vous pouvez demander à un oncle ou à un grand-père de s'occuper davantage de l'enfant. Peut-être est-il resté en retrait parce qu'il n'était pas sûr que son aide soit bienvenue. Vous n'êtes pas obligée d'épouser quelqu'un pour avoir un bon modèle !

Soyez extrêmement vigilante vis-à-vis des personnes avec lesquelles votre fils passe du temps. Les hommes qui commettent des abus sexuels sur les enfants, les pédophiles, profitent souvent des garçons qui n'ont pas de père et qui sont en manque d'attention masculine. Ce n'est pas rare. Cela arrive au cours de l'enfance, d'une façon ou d'une autre, à un garçon sur sept. Informez-vous toujours sur les hommes qui croisent la vie de votre fils.

Envoyez-le chez son père

Sauf si le père de votre fils est un homme dangereux ou complètement irresponsable, essayez du mieux possible de préserver le contact entre eux deux. Si vous êtes séparée ou divorcée, mais que vous avez gardé de bonnes relations avec votre ex-mari, réfléchissez à l'idée d'envoyer votre fils vivre chez son père quand il aura autour de quatorze ans. Souvent, les garçons deviennent difficiles à gérer à cet âge. Sans s'en rendre compte, ils ont un besoin impérieux qu'un adulte homme leur fixe des limites. Les femmes ont souvent peur de cette décision : « Oh, il ne saurait pas bien s'occuper de lui ! » C'est parfois vrai. Mais, dans la plupart des cas, quand on demande aux pères de prendre le relais, on découvre qu'ils ont des qualités inexploitées pour « paterner » et enseigner la discipline. C'est un arrangement qui peut fonctionner de manière très satisfaisante pour tous.

Élever un enfant seule est une tâche héroïque. Mais mieux vaut être enfant dans un foyer monoparental que dans une famille « classique » profondément malheureuse. Le parent isolé a un défi à relever : compléter son propre « parentage » par d'autres éléments utiles pour ses enfants.

ÊTRE UN PÈRE : EN QUOI CELA CONSISTE VRAIMENT ?

Beaucoup de papas sont formidables avec leurs enfants. Mais nous sommes perdus dès que nous réfléchissons au « comment paterner ». Quand mes enfants étaient tout petits, j'ai été tenté d'abandonner tout bonnement le « parentage » à ma femme : elle avait l'air tellement plus douée que moi ! Mais aujourd'hui, c'est un des grands plaisirs de mon existence.

Notre incompétence est en partie due à une totale absence de modèle. Nombreux sont les hommes qui n'ont pas eu un père attentif, seulement un étranger qui feuilletait son journal dans un coin du salon et grommelait de temps à autre. Nous ne disposons pas d'une vaste source où puiser nos comportements de papas.

Heureusement, l'expérience me permet de vous dire ceci : « C'est pas si dur » et « Si vous vous y mettez, vous allez vite aimer ça ». Voici deux ou trois façons de commencer.

La bagarre pour rire

Les garçons adorent lutter, se taquiner, se bagarrer, jouer avec énergie et pugnacité. Et, à mon avis, l'âge n'y change pas grand-chose ! Profitez-en chaque fois que vous en avez l'occasion… et l'énergie. Choisissez un endroit qui ne risque rien. Fixez un but à votre fils : vous plaquer au sol, se libérer de votre prise…

C'est bien plus qu'une bonne partie de rigolade. Pendant la lutte, vous pouvez faire passer d'excellentes leçons. En arrêtant le combat s'il devient incontrôlé ou dangereux, en calmant le jeu puis en le reprenant, vous apprenez au garçon à gérer sa force tout en gardant son calme. En conservant votre bonne humeur, en n'étant pas fou de compétition (en le laissant gagner à son tour), vous lui apprenez que l'important c'est le jeu, et qu'il faut être beau joueur. La bagarre pour rire est à la fois une forme d'intimité et une célébration de la masculinité – quoique certaines petites filles l'apprécient aussi, surtout les toutes petites.

Mon père n'était guère démonstratif et n'avait jamais de gestes affectueux à mon égard. Comme beaucoup d'hommes de sa génération, il se serait fait tuer plutôt que de me faire un compliment. Mais il jouait volontiers à la bagarre avec moi, mes cousins et ses neveux. Quand nous allions en visite, il était toujours couvert d'une nuée de gosses. C'était chouette !

Montrer et apprendre

Robert Bly dit : « Même une brute est sympa quand elle vous apprend quelque chose. » Les jeunes garçons adorent être introduits dans l'univers des hommes. Les voitures, les ordinateurs, les chevaux, la chasse ou la pêche, parcourir la nature, couper du bois : tout ce qu'ils aiment et que vous pouvez leur montrer. Un petit tuyau : ne soyez pas perfectionniste ou vous allez les dégoûter. Partagez votre plaisir, pas uniquement des exigences.

Si vous êtes papa, vous devriez rester auprès de votre fils et de votre famille au moins une heure par jour, pour discuter et faire des choses. Si votre emploi du temps professionnel vous en empêche, vous devriez peut-être reconsidérer sérieusement vos priorités. J'aimerais pouvoir être plus rassurant à ce sujet, mais réussir sa carrière aujourd'hui est presque incompatible avec le fait d'être un bon père. Les garçons ont besoin de vous connaître dans toutes sortes d'humeurs et d'activités différentes.

MAIS ÉCOUTEZ DONC !

Un des plus grands talents de vie que vous puissiez acquérir est la capacité (en fait, la *volonté*) de vous arrêter en pleine discussion pour écouter le point de vue de l'autre. C'est un talent que vous pourriez employer au moins cinq fois par jour.

Par une chaude après-midi d'été, mon fils et moi sommes descendus au petit vallon démarrer la pompe Diesel, comme chaque été, pour remplir d'eau notre réservoir. Mon fils avait quatre ans ; un assistant un peu jeune, me direz-vous, mais tout de même indispensable. Pendant que je tournais la manivelle, il avait pour mission de pousser la manette au bon moment pour faire démarrer l'engin.

L'énorme machine est vétuste. Nos premiers essais ratent. Je ne suis pas de très bonne humeur. Les chardons m'égratignent les mollets, les moustiques nous bourdonnent autour. J'ai mal au bras à force de manœuvrer cette satanée manivelle. C'est alors que mon assistant se met en grève ! Il part faire le tour du réservoir. Je sens ma colère monter et je suis sur le point de le forcer à faire ce que je lui ai demandé, mais il me regarde dans les yeux, comme avec reproche. Parvenant à me calmer, je lui demande, en essayant de prendre un ton agréable : « Pourquoi est-ce que tu ne veux pas m'aider ? » — « Il y a trop de fumée » répond-il, « Je peux pas respirer. » C'était vrai, nous étions environnés de fumée de diesel, résultat de nos premières tentatives.

Alors nous nous sommes assis près de l'eau quelques minutes pour nous détendre tranquillement avant de nous y remettre. Nous avons échangé quelques mots sur les grenouilles et les insectes. Après, la pompe a démarré du premier coup !

Depuis, il y a eu d'autres fois. Sans doute, quand les enfants deviennent plus grands et plus avertis, ces expériences se multiplient-elles. Mais c'est un grand moment, dans la vie d'un parent, de constater : « Il a raison, et moi j'ai tort. » C'est si important d'écouter.

Vous voir en action

Si votre fils, dans son enfance, vous voit cuisiner, faire le ménage, vous occuper des plus petits, il prendra bien plus facilement sa part des tâches du foyer quand il sera plus grand. Les pères doivent montrer qu'ils sont aussi là pour autre chose que pour les parties de plaisir. On peut éduquer par l'exemple, en montrant comment être un homme complet. Si vos jeunes vous voient prendre soin de votre corps, traiter les autres gens correctement, exprimer vos émotions, être ferme sur vos principes, cela sera infiniment plus efficace que toutes les paroles que vous pourrez leur dire. Peut-être même finirez-vous par devenir le genre d'homme que vous voudriez qu'ils deviennent !

Faire rencontrer d'autres hommes à votre fils

Impliquez votre fils dans des activités avec vos amis pour qu'il puisse rencontrer d'autres hommes, apprendre avec eux, obtenir leur « agrément ». Organisez des activités entre hommes. Amenez les garçons sur votre lieu de travail pour qu'ils voient de temps en temps ce que vous faites dans la vie, votre rôle dans la société, vos projets. Laissez-les comprendre quelle part de sacrifices, de difficultés et de persévérance votre vie vous réclame.

Et par-dessus tout, cherchez à rester auprès d'eux. Gardez du temps pour eux.

LE GARÇON A BESOIN D'ÊTRE PROTÉGÉ

Un jour, j'étais à la sortie d'une école primaire. Un groupe de garçons de huit ans sortait lentement d'une classe. Voyant qu'il se passait quelque chose d'anormal, je les observai de plus près. Plusieurs essuyaient des larmes. Tous avaient l'air pâles et choqués. Plus tard, un parent m'apprit que leur instituteur leur avait projeté un film de guerre ultraviolent pour Anzac Day[1]. Sans discussion, ni présentation, ni interruption aucune : 90 minutes de violence brute. On reproche souvent aux hommes leur manque de sensibilité, leur dureté, leur agressivité. Mais leur façon de s'endurcir n'est-elle pas un mode de défense contre ce qu'on leur fait subir ?

Vous avez un vrai rôle à jouer pour empêcher, ou freiner, le pillage de l'enfance de vos fils (et filles) en évitant qu'ils regardent tout le temps des dessins animés violents ou pratiquent des jeux sans imagination avec des jouets de guerre (bien sûr, ils feront des pistolets avec des bâtons ; mais avec un pistolet jouet, on ne peut jouer qu'à tuer). À l'origine de beaucoup de jeux de guerre et de jeux violents, il y a le spectacle de la violence, qui fait peur et qui contraint à s'identifier au guerrier pour retrouver un sentiment de puissance. Ce sont les enfants des zones de guerre qui jouent le plus à la guerre. Pourquoi nos maisons devraient-elles ressembler à des zones de guerre ? Pourquoi ne pas avoir un foyer (et un environnement télévisuel) qui offrirait la sensation d'une île paradisiaque : nature, chaleur, beauté et aventure ?

Il en est de même pour l'ordinateur. Ne laissez pas votre fils « disparaître » des heures durant dans des jeux d'ordinateur, surtout dans ceux du genre labyrinthe sans fin ; cela entraîne une dépendance et n'apporte rien, si ce n'est des spasmes dans les doigts.

Proposez des activités plus physiques, plus sociables et naturelles. Passez du temps avec votre fils plutôt que de lui acheter des choses. Valorisez-le et complimentez-le quand il s'occupe bien des tout-petits et se montre attentif aux émotions et au sens de la justice. Prenez un animal

---

[1] Jour commémoratif du soldat australien.

avec lequel il aura des activités. Ainsi, vous verrez l'affection naturelle s'épanouir chez votre garçon.

APPRENEZ À VOTRE GARÇON
À CRÉER DES RELATIONS

Une bonne chose que le père ou la mère d'un garçon peut faire, c'est lui apprendre à s'entendre avec le sexe opposé ; à parler avec les filles, à collaborer avec elles. Insistez pour qu'il traite les filles avec attention et respect. Une fois adolescent, ne le laissez pas afficher des images dégradantes sur ses murs. La plupart des garçons s'intéressent au corps de la femme, mais vous pouvez les aider à comprendre que la sexualité est un domaine privilégié, ni vulgaire ni sordide.

APPRENEZ À VOTRE FILS
À RESPECTER LES FEMMES

En tant que père, vous pouvez le faire de deux façons : en vous montrant vous-même respectueux des femmes et en intervenant avec force chaque fois que votre fils manque de respect à sa mère. L'injonction classique : « Ne parle pas à ta mère sur ce ton » illustre bien ce moment clé de la vie familiale. Vous ne devriez pas avoir à la répéter.

En tant que mère, exigez posément et clairement le respect. Jouez les médiateurs entre garçons et filles pour qu'ils puissent exprimer leurs sentiments et apprendre à résoudre les problèmes dans le respect, et non par les insultes et l'intimidation. Montrez-vous impartiale. Les garçons aussi ont leur sensibilité. Souvenez-vous-en et apprenez-le à vos filles. Si l'on traite les garçons comme s'ils n'avaient pas de sensibilité, alors, pour se protéger, ils deviennent plus durs.

Cherchez à savoir ce que ressent votre fils ; reconnaissez sa tristesse ou sa peur. Montrez-lui que vous aussi ressentez ces choses. Évitez l'enfermement émotionnel qui rend les hommes si stressés et si déprimés. Ne vous moquez jamais de son côté tendre, surtout lors de ses premiers émois amoureux. Il peut être à la fois fort et sensible. Cela va même de pair.

APPRENEZ-LUI LES TÂCHES DU FOYER

Et complimentez-le sur ses talents ! Un garçon de neuf ans devrait savoir préparer un repas familial par semaine, et en tirer fierté. Même s'il commence par les pâtes et la sauce en boîte, il saura bientôt préparer un menu digne de ce nom. Donnez-lui un coup de main au départ. La plupart des garçons ont du plaisir à cuisiner.

Donnez-lui l'habitude de ranger ses affaires, de mettre son linge dans le panier à linge, de débarrasser la table. S'il ne le fait pas, ne le harcelez pas, mais doublez sa part de tâches ménagères. La réaction courante de super-maman est de dire : « Mais cela va plus vite si je le fais à sa place ; il met tellement de temps ! » C'est vrai, enseigner prend du temps. Mais imaginez un garçon de 18 ans aussi compétent que vous, qui accomplirait autant de tâches ménagères que vous. Cela nécessite sûrement un peu d'investissement au départ, non ?

EN BREF

Vous êtes en train de fabriquer un homme. Pensez aux objectifs que vous avez atteints et à ceux qu'il vous reste à atteindre. Vous pourriez les pointer sur la liste établie par les femmes de mon séminaire, en début de chapitre. Lequel souhaiteriez-vous encore peaufiner ?

Au minimum, prenez le temps de rêver au type d'homme que vous voudriez que votre fils devienne. En vous engageant sur : « Mes fils seront des jeunes gens merveilleux » et en commençant à faire, au quotidien, ce qui permettra d'y parvenir, vous pourrez, en tant que père ou mère, connaître une des plus belles satisfactions de la vie et faire un beau cadeau à l'humanité.

7

ÉLEVER UNE FILLE

Au travers de sa fille, une mère voit sa propre vie recommencer. Ainsi la fille a-t-elle un impact très fort sur sa mère. Et ce qu'une mère pense de sa propre vie va profondément influencer sa relation avec sa fille.

MÈRES ET FILLES

Mères et filles peuvent vivre une très belle intimité. Ou bien former un mélange explosif ! En général, elles se comprennent parfaitement, parfois si bien qu'on dirait de la télépathie.

Les mères ont des sentiments très forts vis-à-vis de leurs filles, comme les pères envers leurs fils, parce que d'une certaine façon, nos enfants sont une nouvelle version de nous-mêmes. Ils nous renvoient à nos espoirs, à nos peurs et à nos émotions. Quand on connaît ce phénomène, cela aide bien. Mais quand on n'en a pas conscience, cela peut induire des comportements bien étranges ! L'ambiance peut devenir électrique quand nos adolescents commencent à être particulièrement embarrassés par le poids de nos attentes. Ce genre de situation a conduit plus d'une mère à m'avouer qu'elle préférait ses fils : ils sont tellement plus faciles !

Mais cela en vaut la peine. Ce qui fait, en partie, que l'éducation d'une fille est pour sa mère une aventure si passionnante, c'est ce potentiel d'amitié si tendre. Mais entre-temps, votre fille est un petit enfant qui a besoin de toute votre attention. Pour bien vous en occuper, il vous faudra peut-être vous libérer de certaines de vos difficultés personnelles, qui pourraient faire obstacle à un « parentage » harmonieux.

Qu'entendons-nous par là ?

Les mères se voient dans leur fille. Cela engendre toutes sortes de pulsions conscientes et inconscientes, pour le meilleur et pour le pire.

• Elles voudraient que leur fille ait plus de chances qu'elles dans la vie.

• Elles voudraient que leur fille reste proche d'elles, mais aussi qu'elle les quitte pour vivre sa vie.

• Elles voudraient que leur fille s'entende bien avec son père.

• Elles voudraient que leur fille trouve un homme, à condition qu'il soit parfait !

• Elles voudraient que leur fille ait une vie dénuée de toute souffrance et de tout tracas.

Qu'entendons-nous par pulsions inconscientes ? En voici un exemple : une de mes amies avait une mère qui avait connu, dans son enfance, une grande pauvreté. L'image qu'elle se faisait d'une bonne mère la faisait travailler de longues journées afin que ses filles puissent avoir tout ce dont elles avaient besoin. Résultat : elle passait très peu de temps auprès de ses filles qui se trouvaient souvent dans des situations où elles se sentaient vulnérables, tandis que leur mère était loin, au travail. Elles s'en seraient mieux sorties avec moins d'argent et plus de protection.

Parfois, quand notre motivation est inconsciente, nous n'envisageons pas toutes les implications. La clé pour les découvrir est la connaissance de soi. Écoutez ce qui sort de votre propre bouche ; réfléchissez à « d'où vous venez ». Vous vous rendrez compte que votre fille n'est pas vous et lui laisserez de l'espace pour faire ses propres erreurs, trouver ses propres réponses, définir elle-même ce qu'elle veut.

LES CINQ FAÇONS D'ÊTRE PARENT

Dans un livre magnifique, *Grandir avec ses enfants*, Jean Illsley Clarke décrit les cinq attitudes différentes que nous adoptons face à nos enfants ; elles en disent long sur nous-mêmes. Vous pouvez les utiliser comme outils de diagnostic pour savoir ce qui se passe entre vous et votre fille. Très probablement, vous découvrirez que votre attitude est la bonne : celle que Clarke appelle la « sérénité attentive ». Reconnaître les autres attitudes est utile aussi, pour éviter de causer du tort.

Quand j'ai découvert pour la première fois cette classification, j'ai trouvé que j'étais, en tant que papa, un beau mélange des cinq types. Y réfléchir m'a énormément aidé.

Il importe de dire ici qu'aucun de ces commentaires n'est exclusivement réservé aux mères et aux filles ; simplement, le fait qu'elles soient du même sexe apporte à leur relation une intensité particulière. Cela peut faire surgir des tendances de type « miroir » : quand on se voit dans son enfant. En général, ce sont les mères qui s'occupent le plus du « parentage ». Et puis nous savons plus de choses sur les mères et les filles parce qu'elles ont tendance à s'exprimer plus fréquemment et plus clairement. Enfin, la plupart des mères sont prêtes à changer, et déterminées à le faire.

Examinons ces cinq attitudes dans une situation banale. Marianne, six ans, tombe en courant dans le parc. Elle accourt vers sa mère en pleurant ; son bras est méchamment égratigné.

La maman peut réagir de plusieurs manières :

L'agressivité

La maman est en pleine conversation avec une amie. Elle se retourne et crie : « Arrête de hurler comme ça, sinon je te donne une bonne raison de crier. » En disant cela, elle attrape la petite rudement par le bras et la ramène à la maison.

Ici, le message envoyé est : « Tu ne comptes pas. Tes émotions n'ont pas d'importance. Tu me déranges. »

L'enfant éprouvera peut-être une grande souffrance, du désespoir ou de la rage, ou bien un sentiment de solitude et de repli sur elle-même. Mais d'où vient la mère ? Soyons honnêtes, nous sommes nombreux à nous être sentis parfois débordés et à avoir réagi en prononçant des paroles blessantes. C'est la réaction d'une mère dont les besoins propres ont été si peu comblés qu'elle voit sa fille comme une rivale.

Cette maman a besoin d'une aide de type affectif, sur le long terme, afin de pouvoir remplir à nouveau son réservoir d'énergie émotionnelle, guérir de la maltraitance subie dans son enfance et, en même temps, s'occuper de sa fille avec plus de gentillesse.

Le chantage

Cette mère dira : « Tu arrêtes de pleurer, sinon je ne te mets pas de pansement. Et dis-moi pourquoi tu as fait ça ? » Ce genre de parent a avec son enfant des relations basées sur la menace et le chantage. L'enfant doit répondre aux attentes des parents ; c'est seulement à cette condition qu'on répondra à ses besoins. Le message, c'est : « N'imagine pas que tu sois facile à aimer, tu n'auras de l'amour que si tu le gagnes. »

La mère envoie ce message à sa fille parce que c'est aussi la manière dont elle se voit elle-même. Ce genre de parent est souvent impeccable et coincé ; elle met la barre très haut pour elle-même et pour ceux qui l'entourent. Il est naturel qu'elle transmette les mêmes messages à son enfant, surtout si l'enfant est du même sexe qu'elle.

La petite fille se sentira complexée, jamais vraiment à la hauteur. Forcément, personne n'est jamais parfait. Elle risque de devenir obsessionnelle, perfectionniste, peut-être anorexique. Elle aura beaucoup de mal à se sentir proche des autres. À l'âge adulte, elle fera peut-être une série de mariages flamboyants, mais de courte durée.

La maman poseuse de conditions a besoin de se détendre. Elle doit apprendre à rechercher (et à se donner à elle-même) de l'estime et de l'amour, simplement parce qu'elle existe. Elle peut apprendre à moins se préoccuper de vêtements, de look, d'argent ou de performances. Elle devrait se trouver des amies cool et heureuses de vivre, et voir comment elles s'y prennent. Ainsi, elle apprendra que l'amour est gratuit, qu'il n'est pas nécessaire de le gagner. Ensuite, elle pourra l'apprendre à ses enfants.

La faiblesse

La mère se précipite avant que la petite n'ait eu le temps de se relever. « Oh ! Regarde ton bras ! Ça doit faire rudement mal, non ? Je vais te faire un pansement tout de suite. Je t'emmène chez le pharmacien, il va nous donner de la pommade. Je te ferai un lit sur le canapé devant la télé et je vais m'occuper de tes devoirs. »

Au départ, on a l'impression d'avoir affaire à une maman très gentille. Mais écoutez les messages plus profonds : « Tu es une pauvre victime. Tu n'es pas capable de t'en sortir. Tu as besoin que je m'occupe de toi. » À un niveau encore plus profond, elle sous-entend : « Nous ne pouvons pas répondre à nos besoins en même temps toutes les deux. Je vais te gâter, mais tu me devras quelque chose en retour. » Cela vous rappelle quelque chose ?

Dans cette relation, la petite fille aura des sentiments très ambivalents. Elle va ressentir temporairement du confort, mais aussi, sous ce confort, un sentiment d'obligation et de ressentiment. Au lieu de se sentir renforcée et encouragée par la présence de ses parents, elle se sentira affaiblie et perturbée. Jean Illsley Clarke décrit cette attitude comme « une forme d'amour collante et empressée » qui encourage la dépendance et une conscience de soi très floue.

La mère qui se trouve dans cette situation doit construire une conscience d'elle-même plus forte. Peut-être a-t-elle connu dans son enfance un parent alcoolique, ou en manque d'une quelconque façon, qui l'a obligée à grandir trop vite et à être celle qui soigne plutôt que celle qui est aimée. Peut-être un des parents se montrait-il faible pour masquer ses propres manques intimes. Elle aurait certainement intérêt à lire des ouvrages sur la co-dépendance et à trouver un bon soutien dans un groupe de thérapie.

La négligence

La mère ne tient pas compte de la blessure. Si ça se trouve, elle n'est peut-être même pas dans le parc. La petite se trouve à plusieurs rues de chez elle, sans surveillance, et tout le monde s'en fiche. L'enfant est nourrie et habillée, sans doute, mais ses parents ne sont pas concernés. Tout au fond d'elle-même, elle sait qu'elle peut tout aussi bien mourir que survivre, mais seule. Si elle a tenu jusque-là, c'est qu'elle va probablement survivre, mais le risque est grand qu'elle devienne une adolescente très dure et très seule, cachant au fond d'elle-même toutes sortes de colères et d'amertumes. Pour obtenir de l'attention, elle s'arrangera sans doute pour avoir de sérieux ennuis. Adulte, elle n'aura guère d'aptitude à se rapprocher des autres, sauf si elle reçoit de l'aide, vite, sous la forme d'un enseignant ou d'un éducateur compréhensif.

L'indifférence, c'est aussi de la maltraitance, et d'une certaine façon, une de ses pires formes.

Avant que vous ne sombriez tout à fait dans la dépression, voyons le cinquième type de comportement.

La sérénité attentive

Cette maman donne un câlin et une attention aimante à la petite fille au bras égratigné. Elle dit des choses du genre : « Ton bras est tout égratigné ! Je suis désolée que tu aies mal. Veux-tu que je le nettoie ? » Puis « Comment te sens-tu maintenant ? »

La petite sait qu'elle compte, ses émotions aussi. Sa mère est prête à l'aider et disponible pour le faire. Elle propose son aide, elle ne l'impose pas. L'enfant se sent réconforté et rassuré, en sécurité, protégé et aimé.

Si on regarde plus loin, il y a d'autres avantages. Ce genre de mère laisse son enfant grandir dans l'indépendance. Si la plaie est bénigne, ou l'enfant un peu plus grand, la mère laisse la petite se soigner elle-même. Elle dit des choses comme : « Est-ce que ça fait mal ? Est-ce que tu peux aller nettoyer ça toi-même ou as-tu besoin d'aide ? » Ce parent est disponible pour un geste tendre, sans trop intervenir. Le message ici est : « J'ai confiance en ton propre jugement sur ce dont tu as besoin. » Et aussi : « Je n'ai pas besoin qu'on ait besoin de moi. »

Il est évident que la sérénité attentive est le comportement vers lequel nous devrions tendre.

QUAND L'ENFANT EST HANDICAPÉ

Pour tous mes ouvrages sur la vie de la famille, je me suis trouvé en difficulté parce que je n'avais rien à dire au sujet de l'éducation des enfants handicapés. Et pourtant, chaque fois que je pars pour une tournée de conférences, des parents de tout-petits affligés de toutes sortes de handicaps viennent vers moi dans l'espoir de trouver un peu d'assistance. Les enfants handicapés font partie de la famille et de la collectivité, ils méritent d'y être inclus. Ils sont un "plus" dans notre vie, au même titre que n'importe qui d'autre.

Toujours je me suis senti limité par le manque d'expérience personnelle. C'est pourquoi j'ai été enchanté de découvrir dans le *Melbourne Age* un très bel article, écrit par la maman d'une fille atteinte d'un handicap mental lourd : elle décrit la vie de sa fille de façon remarquablement éclairante.

Mary Burbridge serait la première à dire que sa vie de famille a connu des hauts et des bas, comme celle de tout le monde. Pourtant, pour moi il est évident qu'elle a triomphé de toutes sortes de manières et que c'est le genre de message que d'autres parents aimeraient entendre. C'est aussi un exemple de relation très privilégiée entre une mère et sa fille.

Ma fille, mon éternel bébé

J'ai un bébé adorable. Un bébé patient, paisible, qui se blottit au chaud dans sa peau de mouton et m'offre un sourire à moitié endormi quand je rentre. Elle se redresse, saute de joie et tend les bras pour un câlin. Je la soulève du lit et, en lui tenant les deux mains, accompagne ses pas hésitants vers la salle de bains pour changer sa couche.

Elle est à un âge merveilleux. Elle aime participer quand on l'habille et la déshabille ; elle veut tenir sa cuillère elle-même, faisant des dégâts incroyables ; elle se déplace en se tenant aux meubles et en faisant tomber tout ce qu'elle peut attraper. Elle adore la musique, les chansons et les comptines qu'on lui chante, taper sur le piano, battre des mains, les jeux avec les doigts, tirer la ficelle de son infatigable boîte à musique. Elle aime beaucoup qu'on l'emmène promener quand il fait beau, et attraper les fleurs au passage. Dans son bain ou dans une piscine, elle patauge et rit inlassablement.

Cela fait près de vingt ans que j'ai mon trésor de bébé et, à moins qu'il ne nous arrive quelque chose, j'imagine que je vais l'avoir encore pendant vingt ans. Cela fait un bon moment qu'elle est au merveilleux stade des "sept à neuf mois", c'est pourquoi je ne m'attends pas à beaucoup de changement.

Elle a gardé son mignon visage de bébé, innocent, sans aucune trace de tristesse, de déception ou de colère, et sa masse de boucles blondes. Mais ses hormones sont celles d'une jeune femme, une jeune femme potelée, plantureuse, presque voluptueuse, et l'acné trouble un peu son joli visage. Sa chevelure, même si elle a un peu foncé, reste son plus bel atout. J'ai si souvent béni dans mon cœur ces boucles ravissantes ! En général, quand ils rencontrent mon grand bébé pour la première fois, les gens sont mal à l'aise, ne savent pas trop quoi dire. Mais ils peuvent toujours dire : « Quels beaux cheveux ! » Ils le font. Et ça aide.

Je connais d'autres parents qui souffrent beaucoup plus que moi avec leur « éternel bébé ». Des années interminables avec un enfant agité qui pleure ; chaque repas recraché dans une explosion de résistance, la moindre activité devenant motif d'angoisse et de détresse. Ou un enfant qui a toute sa mobilité, mais ne comprendra jamais le sens de « attention ! » ni « arrête ! ». Hyperactif toute la journée, tous les jours, prenant chaque année des centimètres et de la force, tombant sous la puissante influence des hormones adolescentes. Et sans les belles boucles pour compenser.

Nous nous sommes rencontrées dans un groupe d'animation pour tout-petits, destiné aux jeunes mères qui cherchent à s'adapter à l'idée d'avoir un enfant handicapé profond. Par la parole, nous avons évacué notre culpabilité, notre peine, notre désillusion, notre colère, tout en aidant nos enfants à jouer. Nous avons gardé le contact. S'occuper d'un enfant handicapé profond est une lourde tâche, comme celle de s'occuper d'un bébé, mais quand on a de l'aide, cela ne dévore pas tout notre temps.

Nous avons eu d'autres enfants, avons mené des vies actives ; nous avons travaillé à temps partiel, pendant que les enfants étaient en institution de jour. Nos mariages ont survécu, et nous avons pris des vacances en famille.

Nous nous sommes aussi impliquées, en œuvrant pour garantir d'une part les meilleurs services et soutiens possibles à nos enfants ou à d'autres personnes handicapées, d'autre part leur accès à la vie professionnelle.

Conseils d'école, commissions spécialisées, collectes de fonds et kermesses, démarches auprès des hommes politiques, manifestations et déclarations : tout cela nous l'avons fait, apprenant au fur et à mesure. Maintenant que nos enfants atteignent l'âge officiellement adulte, il y a d'autres décisions à prendre, d'autres batailles à gagner. Nous devons être assurés qu'il y aura des activités à la journée adaptées à nos enfants quand l'école ne sera plus une option possible, qu'on prévoira des accueils à long terme adaptés quand le moment sera venu pour eux de quitter notre foyer.

Pour l'essentiel, les gens que j'ai rencontrés étaient sensibles et ouverts. Lorsque j'en ai eu besoin, j'ai obtenu services et soutiens, et les années se sont écoulées dans une harmonie presque parfaite.

Mais sur le chemin, il y a eu des heurts et des ornières. Comme cette psychomotricienne pure et dure qui a enlevé les jouets et la boîte à musique du fauteuil roulant de ma fille parce qu'ils ne « correspondaient pas à son âge ». En réaction, j'ai attaché au plateau un livre, un échiquier et une cassette de rock, qu'elle s'est fait une joie de mâcher et de réduire en miettes. Ou comme le médecin du service de pédiatrie à la franchise brutale qui, le jour où j'ai foncé aux urgences avec ma fille atteinte de laryngite diphtérique, m'a déclaré : « Je peux la faire admettre si vous voulez, mais elle serait mieux chez vous. Ici, les enfants comme ça ne reçoivent pas les meilleurs soins. » Ou comme le salopard qui m'a interpellée publiquement sur un parking en contestant mon macaron *Handicap*é, avant que la loi ne soit votée.

Bien des dilemmes surgissent quand j'ai des décisions à prendre à la place de ma fille. Quand elle a atteint la puberté, on m'a proposé, et j'ai accepté non sans appréhension, de lui faire des injections d'hormones pour arrêter ses règles. Je crois que, secrètement, je souhaitais que cela empêche son corps de mûrir ; que je pourrais continuer à prétendre éternellement qu'elle était toujours une enfant. Mais cela n'a rien empêché, et un an après environ, j'ai arrêté les piqûres.

Je me suis demandé si elle devait mettre un soutien-gorge jusqu'à ce que ses mensurations fournissent d'elles-mêmes la réponse. « Quelles sortes de vêtements faut-il qu'elle porte ? » Je choisis plutôt des choses confortables pour elle et pratiques pour moi, mais est-ce préjudiciable à sa dignité de jeune adulte ? Est-ce que cela la dévalorise en tant que personne ? L'habiller avec le genre de vêtements que porte sa sœur et en faire d'office une *fashion victim* originale ? Qu'est-ce qu'elle choisirait, si elle pouvait choisir ? Est-ce que ça a de l'importance, sachant qu'elle n'a aucune notion de mode ni de dignité ? (Voilà les problèmes qu'on découvre, non sans malaise, quand on travaille dans le champ élargi du handicap.)

En décidant d'intervenir pour arrêter ses règles, étais-je motivée par son intérêt ou par le mien ? (La direction de son institution a admis que ce serait dans son intérêt à elle. Mais ce genre de décision importante ne se fait pas seulement sur l'avis des soignants.)

Dans le passé, de tels enfants auraient certainement été placés très jeunes dans des institutions. On conseillait souvent aux parents de bébés atteints de handicaps bien plus légers de ne pas les ramener à la maison. On leur disait de les placer en institution et d'oublier qu'ils les avaient eus. Beaucoup le faisaient.

J'ai séjourné récemment dans une grande institution, organisant des réunions entre personnes handicapées, parents et soignants. J'ai observé un phénomène extraordinaire et très émouvant. Les résidents avaient la trentaine et avaient vécu plus de vingt ans dans l'institution. Le personnel était tous les jours en contact avec eux et répondait à tous leurs besoins physiques. Les parents leur rendaient visite de temps en temps. Mais j'ai été régulièrement frappé par la force et la durée du lien émotionnel qu'ils avaient avec leurs parents.

Ils voulaient être le plus près possible de leurs parents, ne pouvaient pas les quitter des yeux, ne supportaient pas qu'ils prêtent attention à qui que ce soit d'autre qu'eux. Une femme pataude, dépourvue de parole, a manœuvré laborieusement le long de la table pour venir s'asseoir sur les genoux de son père et appuyer son visage contre le sien. J'ai ressenti une immense tristesse de voir que ces familles n'avaient été ni encouragées ni soutenues pour garder plus longtemps leur enfant à la maison, pour tirer le maximum de cet amour si manifestement partagé.

Il naît moins d'enfants handicapés aujourd'hui. La médecine préventive, les consultations génétiques et les progrès de l'obstétrique peuvent y avoir contribué. À un stade précoce de la grossesse, des examens spéciaux peuvent déceler de nombreuses malformations et anomalies ; les parents peuvent opter pour une interruption de grossesse. Très peu de gens choisiront délibérément de mettre au monde un enfant handicapé profond s'ils peuvent l'éviter. Il est donc possible, depuis peu, d'envisager une société presque dépourvue de handicapés. Quelles vont en être les implications ? Cela mérite réflexion.

Quel message envoie-t-on ainsi aux personnes handicapés de notre collectivité sur leur valeur, leur droit d'exister et d'être assistés ? La société va-t-elle refuser l'aide aux parents qui mettent au monde, en toute connaissance de cause, un enfant handicapé ? Va-t-on éliminer les défauts même mineurs, au point de ne tolérer que la perfection ? Et qu'est-ce que cela voudra dire pour ceux dont les handicaps ou les difformités n'ont pas pu être prévus ou sont survenus après la naissance ?

Une de mes amies a récemment passé des examens à un stade précoce de sa grossesse. Lors d'une première grossesse, on avait découvert que le fœtus présentait une grave malformation justifiant un avortement thérapeutique et il y avait un risque que cela se reproduise. On lui a annoncé que l'examen montrait cette fois un autre problème, la trisomie 21, et que tout avait été organisé pour une interruption de grossesse le surlendemain.

Personne ne lui a proposé de discuter avec elle de ce qu'avoir un enfant trisomique impliquait, ni des éléments dont elle aurait besoin pour prendre une décision. On n'a même pas considéré qu'elle aurait à en prendre une ! En réalité, cela a été pour elle une décision très difficile à prendre. Ce n'est qu'après bien des tourments qu'elle a fini par accepter qu'elle ne pouvait vraiment pas, dans sa situation, gérer un enfant handicapé. Mais l'attitude des médecins face au handicap a quelque chose de dérangeant.

Bon. Pourquoi est-ce que je vous raconte tout cela ? Il naîtra toujours des enfants handicapés. Et si cela vous arrive, ce n'est pas la fin du monde, ni pour vous, ni pour le bébé. Personne ne peut prédire avec certitude quel chemin va prendre son développement. Ou le genre de vie qu'il ou elle pourra vivre.

Ce ne sera pas la vie que vous aviez imaginée pour lui quand vous l'attendiez, mais ce sera sa vie. Avoir un enfant handicapé vous fait réfléchir ; au sens de la vie ; à ce qui est important. Et vos idées changent beaucoup.

Votre vie ne sera pas non plus celle dont vous rêviez, mais elle sera pleine, et riche. Et elle pourra même vous apporter beaucoup de joie.

LE PÈRE ET SA FILLE

Une des choses qui m'ont frappé dans mon travail est le rôle très important du père dans la construction de l'estime de soi de sa fille. Je suis notamment convaincu qu'un père ne devrait jamais critiquer l'apparence de sa fille, même « pour rire ». Certains pères le font, dans le but peut-être de les rendre plus soignées ou plus présentables. En général, ils produisent un effet complètement opposé à celui escompté.

Il y a toutes sortes d'excellentes choses qu'un père peut faire. Il peut faire des compliments. Il peut prendre plaisir à plaisanter et à rire avec sa fille, développant son talent de conversation et de repartie. Il faut qu'il soit averti du fait que les filles évoluent et passent par des phases très différentes, et que ce qui était un bon motif de plaisanterie hier peut devenir un sujet sensible qu'il vaut mieux éviter aujourd'hui.

Le père est une source d'apprentissage de la communication avec le sexe opposé. En discutant de sujets sérieux avec son père, en étant admirée pour son esprit autant que pour son physique, la fille apprend à entrer en contact avec l'autre sexe, avec le savoir-faire nécessaire pour prendre l'initiative et offrir autant qu'elle reçoit. Elle ne sera jamais ni subjuguée, ni intimidée par une compagnie masculine. Elle aura aussi la confiance nécessaire pour faire elle-même le choix de son conjoint plutôt que d'attendre passivement d'être choisie.

PROCHE, MAIS PROTÉGÉE

Les pères clairs avec eux-mêmes et qui rejettent toute approche sexuelle de leur fille peuvent rester tendres et affectueux ; ils ne sont pas obligés de devenir coincés. Contact sexuel et contact affectif sont de natures totalement différentes.

Avoir un couple uni aide aussi une fille à se développer, car elle est témoin d'une relation respectueuse entre un homme et une femme. Si la fille sait que ses parents sont proches, elle se sent plus en sécurité en présence de son père puisque ses besoins en matière affective et sexuelle sont clairement satisfaits. Pour cette raison, faites attention à ne pas vous ranger dans le camp de votre fille contre sa mère. Et si vous avez un problème avec votre femme, réglez-le en tête à tête.

Le respect est un élément clé entre les sexes et vous pouvez, en tant que père, montrer l'exemple. Si vous respectez votre fille (et sa mère), elle demandera aux autres hommes d'en faire autant. Si vous la rabaissez, elle l'acceptera aussi de la part des autres hommes en pensant que c'est normal. Avoir du respect suppose simplement de faire preuve d'une courtoisie attentive. Par exemple, vous pouvez respecter le besoin croissant d'intimité de votre fille en demandant sa permission avant d'entrer dans sa chambre, quand elle s'y trouve.

Aider une fille à construire son autonomie

Un père peut très bien aider sa fille à acquérir des savoir-faire utiles pour son indépendance : s'occuper d'une voiture, réparer des choses, bricoler, gérer l'argent, vivre et camper dans la nature. Il s'assurera ainsi qu'elle sera en sécurité et moins dépendante dans la vie.

Dans un article récent, la comédienne Jean Kittson raconte son enfance dans une ville où « les garçons avaient des voitures, et les filles des petits amis ». Soutenue par son père, elle a décidé d'avoir une voiture plutôt qu'un petit ami, et elle est partie pour la capitale faire une belle carrière, plutôt que de devenir la parure de quelqu'un d'autre !

8

LA LIBÉRATION
DE LA FAMILLE

À la fin d'un ouvrage qui traite autant de questions, j'aimerais partager avec vous une vision. Elle concerne le monde qui entoure nos maisons, mais touche aussi tout ce qui se passe à l'intérieur. Il se produit quelque chose de nouveau dans le monde de la famille, quelque chose qui veut dire que nous pouvons commencer à changer le monde dans lequel nous vivons, sans quitter notre environnement habituel.

L'HEURE DU CHANGEMENT

Les parents n'ont jamais eu de réelle voix politique. Sans doute sommes-nous trop occupés par nos jeunes enfants pour en trouver l'énergie. C'est déjà beau si certains d'entre nous réussissent à se traîner tous les trois ou quatre ans jusqu'au bureau de vote. Mais tout cela est en train de changer à très grande vitesse.

Les parents sont en colère

En ayant confié le soin du monde aux politiciens et aux technocrates, à quoi sommes-nous arrivés ?

Notre monde est vraiment *pollué* ! Nous accroissons le risque génétique : nos taux de stérilité et de fausses couches montent en flèche. L'asthme, une maladie intimement liée à la qualité de l'air, affecte aujourd'hui deux enfants australiens sur cinq. Même chose pour les allergies et les réactions à l'environnement chimique. Même le soleil est devenu un danger.

Notre monde est *violent* du fait des inégalités sociales, de l'éclatement de la famille et des médias, qui font passer la violence pour un mode de vie.

Notre *économie* est incapable d'offrir un emploi satisfaisant (ou qui ait un sens) à nos hommes et à nos jeunes gens ; mais elle est prête à employer nos jeunes mères, tant qu'elles ne remettent pas en question la teneur de leur travail et leur bas salaire.

Et, en ce qui concerne les politiques, les dirigeants de notre pays, nous aimerions avoir un choix plus ouvert.

Au fil du temps, les dinosaures des partis sont parvenus à des positions très similaires. Dans leurs programmes, ils affichent peu de différences susceptibles d'inspirer les foules. Les extrêmes de la palette politique se retrouvent mêlés à un centre insipide. Je crois pouvoir affirmer que tous deux se rattachent au rationalisme économique, aux valeurs des yuppies et au dollar comme valeur ultime.

Une nouvelle alliance positive

Devant un choix si maigre et face à tant de frustration, une nouvelle alternative finit toujours par apparaître. Dans ce cas elle s'appuie, curieusement, sur deux options philosophiques opposées. Une nouvelle alliance, surprenante, surgit dans nos villes, entre des groupes aussi typés que les écologistes non intégristes, au mode de vie alternatif et *high-tech*, et les traditionalistes chrétiens de droite, axés sur la famille.

Voilà qui mène à toutes sortes de magnifiques échappées par rapport aux anciens stéréotypes. Quand je fais une tournée de conférences dans mon pays je rencontre, dans une même assemblée, des « hippies » extrêmement responsables, monogames et travailleurs, et des pratiquants austères qui font des câlins à leurs enfants, renoncent aux châtiments corporels, sont membres d'Amnesty International et boycottent Nestlé !

LA VOIE DU PROGRÈS

Je pense que de plus en plus de parents travaillent réellement à un monde qui associerait sérénité, humanité, liberté d'esprit et joie.

Je ne crois pas vraiment être trop optimiste en affirmant que nous assistons à l'émergence d'une sorte de Parti des parents. Il va certainement assimiler le mouvement écologiste, puisque parents et enfants sont des protecteurs spontanés de l'environnement. Il englobera nécessairement les mouvances féministes et les défenseurs de la cause masculine, puisque les parents veulent un bel avenir pour leurs garçons comme pour leurs filles et ne pourront que soutenir tout mouvement prônant l'amélioration des relations entre les sexes. Ce parti interviendra de façon déterminante dans l'édification du vingt et unième siècle.

Pour clore cet ouvrage, je vous propose le manifeste suivant :

PROFESSION DE FOI DU MOUVEMENT
DE LIBÉRATION DE LA FAMILLE

• Rien n'a plus d'importance que d'élever un enfant sain et heureux.

• Personne ne peut, ni ne devrait, élever seul son enfant. Nous avons tous besoin du soutien des autres.

• Nous revendiquons en particulier une société qui prenne très au sérieux nos besoins de parents, et finance nos demandes, en retour du cadeau que nous lui faisons sous la forme d'adultes sains, prêts à apporter leur participation.

• La meilleure façon de contribuer à la sécurité des enfants est de mieux s'occuper des parents.

• Le meilleur moyen de déprogrammer nos enfants « surbookés » est de nous déprogrammer nous-mêmes.

• Les parents sont responsables devant leurs enfants en ne fumant pas devant eux, en attachant leur ceinture, en les protégeant des maltraitances. L'enfant n'est pas leur propriété.

• Nous devons travailler à maintenir nos enfants dans leur enfance aussi longtemps que nécessaire.

• Nous devons travailler à multiplier les contacts positifs entre enfants et adultes. Cela signifie renoncer aux châtiments corporels et lutter contre les abus sexuels, mais cela veut dire aussi enseigner aux parents de meilleures façons de communiquer avec leurs enfants.

• Nous devons devenir des modèles actifs pour nos jeunes en aidant les jeunes parents et en nous occupant des enfants des autres, de façon à répartir le poids de l'éducation qui surcharge la famille nucléaire. Ainsi, nous créerons ce que notre société n'a pas vécu depuis longtemps : une vraie communauté.

• Il faut obtenir, avec l'appui de la législation, des lieux de travail ouverts à la famille, où pères et mères peuvent organiser leurs horaires en fonction des besoins de leur famille au lieu d'avoir à choisir entre vie professionnelle et vie familiale.

• Le concept de famille doit être étendu pour englober tout le monde : célibataire, gay, sans enfant, divorcé, personne âgée, délinquant, réfugié, businessman, adolescent à la rue.

• Nous devons prendre les autres dans nos bras et leur dire : « Bienvenue dans cette maison. »

BIBLIOGRAPHIE

Voici quelques ouvrages, disponibles en français, des auteurs cités par Steve Biddulph dans ses travaux :

Axline Virginia, *Dibs*, Flammarion, 1977.

Biddulph Steve, *Le secret des enfants heureux*, Marabout, 2002.

Gordon Thomas, *Parents efficaces*, Marabout, 1996.

Illsley-Clarke Jean, *Grandir avec ses enfants*, Sciences et culture, 1993.

James Muriel et Jongeward Dorothy, *Naître gagnant*, Dunod, 2000.

Leach Penelope, *Les six premiers mois : accompagner son nouveau-né*, Seuil, 1988 ; *Votre enfant, de la naissance à la grande école*, Albin Michel, 1990.

Schiff Jacqui, *Ils sont devenus mes enfants*, InterÉditions, 1985.

Table des matières

Chapitre 3
L'AMOUR-FERMETÉ **51**

IMPRIMÉ EN FRANCE PAR BRODARD ET TAUPIN
22393 - La Flèche (Sarthe), le 26-01-2004.

pour le compte des
Nouvelles Éditions Marabout
D.L. n° 44118 - février 2004
ISBN : 2-501-03923-8
40-3605-9/Éd.02